Victime au travail

Catalogage avant publication de
Bibliothèque et Archives Canada

Binette, Nicole

Victime au travail :
l'enfer du harcèlement psychologique

1. Harcèlement en milieu de travail.
2. Victimes de harcèlement - Attitudes. I. Titre.

HF5549.5.E43B56 2005   658.3'145   C2004-942031-3

DISTRIBUTEURS EXCLUSIFS :

• Pour le Canada et les États-Unis :
MESSAGERIES ADP*
955, rue Amherst
Montréal, Québec H2L 3K4
Tél. : (514) 523-1182
Télécopieur : (450) 674-6237
* Filiale de Sogides ltée

• Pour la France et les autres pays :
INTERFORUM
Immeuble Paryseine, 3, Allée de la Seine
94854 Ivry Cedex
Tél. : 01 49 59 11 89/91
Télécopieur : 01 49 59 11 96
Commandes : Tél. : 02 38 32 71 00
                         Télécopieur : 02 38 32 71 28

• Pour la Suisse :
INTERFORUM SUISSE
Case postale 69 - 1701 Fribourg - Suisse
Tél. : (41-26) 460-80-60
Télécopieur : (41-26) 460-80-68
Internet : www.havas.ch
Email : office@havas.ch
DISTRIBUTION : OLF SA
Z.I. 3, Corminbœuf
Case postale 1061
CH-1701 FRIBOURG
Commandes : Tél. : (41-26) 467-53-33
                         Télécopieur : (41-26) 467-54-66
                         Email : commande@ofl.ch

• Pour la Belgique et le Luxembourg :
INTERFORUM BENELUX
Boulevard de l'Europe 117
B-1301 Wavre
Tél. : (010) 42-03-20
Télécopieur : (010) 41-20-24
http ://www.vups.be
Email : info@vups.be

Pour en savoir davantage sur nos publications,
visitez notre site : **www.edhomme.com**
Autres sites à visiter : www.edjour.com
www.edtypo.com • www.edvlb.com
www.edhexagone.com • www.edutilis.com

Gouvernement du Québec – Programme de crédit
d'impôt pour l'édition de livres – Gestion SODEC –
www.sodec.gouv.qc.ca

L'Éditeur bénéficie du soutien de la Société de
développement des entreprises culturelles du Québec
pour son programme d'édition.

01-05

Dépôt légal : 1er trimestre 2005
Bibliothèque nationale du Québec

ISBN 2-7619-2050-3

Le Conseil des Arts du Canada
The Canada Council for the Arts

Nous remercions le Conseil des Arts du Canada de
l'aide accordée à notre programme de publication.

Nous reconnaissons l'aide financière du gouvernement
du Canada par l'entremise du Programme d'aide au
développement de l'industrie de l'édition (PADIÉ) pour
nos activités d'édition.

NICOLE BINETTE

Victime au travail

L'enfer du harcèlement psychologique

Prologue

Voici l'histoire d'un simple employé. Comme tout bon employé, il cherchait à travailler pour une bonne organisation, afin de mettre ses compétences au service de l'une de ces entreprises fascinantes. Un jour, il en découvre une qui l'intéresse particulièrement. Il réussit à rencontrer un gestionnaire et à se faire engager. Il ne rencontre pas le grand patron, mais cela n'est pas nécessaire. Le gestionnaire lui suffit.

Notre bon employé, Marc est son nom, est tout heureux. Voilà qu'il a l'occasion de relever de nouveaux défis. Il sera responsable des comptes à recevoir. Il a déjà de l'expérience dans ce domaine, mais ce poste représente tout de même un avancement dans sa carrière, puisque cette organisation est plus grosse.

Le grand jour arrive : il entre en fonction. Il a tout préparé. Il est fin prêt. Il apporte avec lui ce qu'il a de plus précieux : son coffre à trésors. Pour tout employé, l'estime de soi et le sentiment d'avoir un rôle professionnel sont les biens les plus précieux. Le coffre contient les trésors amassés au fil des ans : expérience, compétences, habiletés, responsabilités, crédibilité, dignité professionnelle, promotions, capacité à accomplir certaines tâches, rôle social et rôle professionnel dans un domaine spécifique. Pas question de laisser tout cela à la maison ! Marc apporte donc toujours son coffre dans les organisations où il travaille. C'est comme un vieil habit que l'on porte très souvent parce qu'on l'adore. Il lui appartient. Personne n'est vraiment intéressé au genre de choses qu'il renferme, du moment qu'il utilise son contenant.

Le gestionnaire de sa division le reçoit et lui montre son bureau. Notre employé s'installe sommairement et se met tout de suite au travail. Les années passent. Marc reste au service de la même organisation et relève différents défis. Son travail est apprécié. Il gagne bien sa vie. À la fin de chaque journée de travail, il a le sentiment d'avoir accompli quelque chose, d'avoir été utile. Un jour, son patron quitte pour une entreprise plus grosse. Notre employé rencontre son nouveau chef d'équipe. Il a une vingtaine d'années de moins que Marc. Il semble être très jovial. Un bon vivant. Il aime bien s'amuser après le travail, prendre une bière avec ses employés. Marc se joint à eux quelquefois, mais, comme il a une épouse malade à la maison, il préfère ne pas s'absenter trop souvent. Peu à peu, les choses semblent changer dans sa division. Des tâches qu'il avait, certaines lui sont retirées. Son nouveau patron lui dit qu'il ne fait pas la réception des comptes assez vite. Sa gestion des comptes est inadéquate. Désuète, qu'il dit. Pourtant, Marc accomplit ces tâches depuis plusieurs années et il n'y avait aucun problème avec l'autre patron ! Lorsqu'il entre à la cafétéria, à l'heure du lunch, il surprend souvent le gestionnaire en train de faire des commentaires qui ne sont pas particulièrement flatteurs à son propos. L'autre jour, un des employés, avec qui il s'est lié d'amitié il y a deux ans, lui a dit que le patron lui avait demandé de diminuer ses conversations avec lui. Notre bon employé avait été son formateur et un lien s'était créé entre eux. Voilà maintenant qu'il apprend que son collègue s'est fait dire par le chef d'équipe, par sous-entendus bien sûr, de diminuer leurs interactions. Qu'est-ce qui se passe ?

Marc a aussi remarqué que le jeune patron veut apporter des changements importants dans la division. Plus de technologie, qu'il dit. Il a institué un nouveau système électronique de gestion des comptes, et, lorsque Marc lui a demandé d'être formé à ce système, il a refusé. Pourtant, il est bel et bien responsable des comptes à recevoir ! Ne devrait-il pas connaître ce système un peu ? À la place, le patron a envoyé son jeune collègue à cette formation.

Marc rencontre le patron. Il l'interroge : qu'est-ce qui se passe ? Pourquoi n'a-t-il pas reçu la formation pour connaître le nouveau logiciel étant donné qu'il est responsable des comptes et qu'il est le plus ancien dans l'équipe ? Pourquoi lui enlève-t-on de plus en plus de responsabilités ? Le gestionnaire lui répond évasivement. Des réponses vagues, insatisfaisantes, et des raisons dépourvues de tout fondement.

Notre employé essaie de s'adapter à la diminution de ses tâches. On lui donne de moins en moins de travail à faire. Il se dit que cela lui laisse un peu plus de temps pour d'autres activités profession-nelles, mais voilà que son patron lui enlève justement celles-ci et les remplace par des tâches dégradantes et moins désirables : appe-ler les mauvais payeurs, rédiger les lettres d'avertissement, etc. Mais il n'a pas été engagé pour cela ! Il occupe un poste de responsabi-lité et le voilà à faire des réprimandes et des menaces !

Pendant ce temps, le chef d'équipe continue à faire des remar-ques désobligeantes à son sujet. Il est la cible d'insultes et de raille-ries. Le patron s'attaque à son âge, à ses cheveux grisonnants, à sa capacité physique inférieure à celle des jeunes athlètes de l'équipe, aux quelques kilos qu'il a pris après avoir passé la quarantaine. Son ton de voix abaisse notre employé et ses propos le font paraître comme un vieillard, une antiquité que l'on doit ranger sur une tablette.

Parfois, Marc a l'impression qu'on lui prend ses outils de travail et qu'on les remet en place au moment même où il s'en plaint et dénonce des problèmes dans la division. Mais comme l'outil est revenu à sa place lorsqu'il essaie de prouver son point, il passe pour un idiot. Entre-temps, il a perdu du temps et son efficacité au tra-vail en souffre. Il en vient alors à douter de lui-même. Aurait-il rêvé ? Il a honte. Il a l'impression que les autres le méprisent. Il ne sait plus que penser.

D'autres fois, lorsqu'il entre dans son bureau, il s'aperçoit que ses tiroirs ont été ouverts. Des choses manquent ou sont déplacées. Cela n'arrive pas toutes les fois qu'il s'absente, mais, peu à peu, son bureau lui semble différent, étranger presque. En plus, il a l'impres-sion que son coffre à trésors professionnels se vide : un bijou de compétences qui manque ; une perle au collier de responsabilités qui fait défaut ; des pièces d'or en habiletés en moins ; les saphirs de la crédibilité ont disparu ; les diamants de la dignité sont partis.

Mais qui a bien pu ouvrir le cadenas sans le briser? Qui d'autre que lui en a la clé? Qui est entré dans son refuge professionnel? Se pourrait-il qu'il oublie parfois de refermer son coffre? Aurait-il laissé la clé à la portée d'un voleur qui s'en serait fait un double?

Comment trouver le coupable? Comment le dénoncer? Pourra-t-il retrouver ses biens? Retrouver son rôle, ses tâches, ses responsabilités, le sentiment de son importance professionnelle?

À qui se plaindre? Devrait-il porter plainte, dénoncer le fait que son patron se moque de lui? Va-t-on le croire, le défendre, le soutenir?

Au fur et à mesure que les jours passent, il se sent de plus en plus mal. Il se voit comme un moins que rien, une nuisance. Il a peur, car il a besoin de son emploi. Il a besoin de l'argent qu'il en retire, du rôle social qu'il joue, sauf que, depuis quelque temps, il n'est plus très sûr d'être un employé qui compte.

Marc se sent désemparé, angoissé, perdu, confus et seul dans cette organisation qu'il aimait tant. Il se surprend même à avoir la nausée à la seule pensée de son chef d'équipe qui semble constamment le surveiller. Il a l'impression de l'avoir toujours derrière son dos à chercher à le prendre en défaut. Il est nerveux. Quel autre commentaire fera-t-il encore?

Se présenter au travail lui est devenu pénible. Non seulement ses tâches ont changé, mais le constat concernant son coffre et ses trésors le déconcerte de plus en plus. Il ne sait pas trop quoi faire. Il est fatigué. La nuit, il ne dort plus très bien. Le jour, il ne mange plus ou peu. Les choses vont de mal en pis dans son équipe de travail, à tel point qu'il en perd l'appétit. Il n'a plus la même énergie qu'avant et, en conséquence, il lui faut plus de temps à recevoir et à comptabiliser les comptes. Mais il ne comprend pas. Il n'y a pas si longtemps, avec son ancien patron, tout allait bien. Il n'avait pas de problèmes de sommeil, d'appétit, de fatigue exacerbée. Son travail était parfait. Il a même reçu un prix, quelques années auparavant, comme meilleur employé de l'année! Et maintenant que son coffre se vide… Vite que cela arrête!

Marc se sent perdu et ne sait plus quoi faire. Rien ne va plus!

À l'aide, il se sent mal dans son travail!

Le harcèlement psychologique en milieu de travail

Votre vie professionnelle représente un long trajet qui s'échelonne sur plusieurs années. Selon toute probabilité, vous changerez d'emploi, de patron et d'équipe de travail au cours de votre vie professionnelle. Si vous avez vraiment de la chance, vous ne travaillerez que pour un seul patron et une seule entreprise, mais cela est très peu probable si l'on considère que nous changeons d'emploi en moyenne cinq fois au cours de notre vie professionnelle.

Au tout début de votre périple professionnel, dès le premier jour, vous rencontrez le patron de votre division. Vous organisez votre carrière, vous signez un contrat. Vous devenez employé. Vous faites dès lors partie d'une équipe dans une plus ou moins grande organisation. On vous assigne vos tâches et vous vous mettez au travail.

Il y a peut-être un ou plusieurs harceleurs au sein de l'équipe. Le patron en est peut-être un. Un client avec qui vous intervenez peut aussi en être un. Vous ne le savez pas. Vous ne pouvez pas le savoir. La société du travail est ainsi faite. Vous transportez votre coffre à trésors professionnels qui contient vos biens les plus précieux. Vous gardez ce coffre à trésors en dedans de vous, car vous savez que certains peuvent l'endommager, le voler, le détruire.

La vie en milieu de travail est périlleuse. Les exigences de performance, la rapidité d'exécution des tâches, l'acquisition de nouvelles compétences par la formation continue tout en travaillant à temps plein, les délais toujours plus courts augmentent la pression qui s'exerce sur l'équipe et son chef et intensifient le stress. Les harceleurs ont besoin de laisser évacuer la tension. Ils ne peuvent briller dans l'organisation sans enrichir leur propre coffre à trésors professionnels avec le magot d'un autre. Ils se sont embarqués pour devenir plus riches! Pour monter plus haut! La mutinerie devient fréquente. Tout bon harceleur cherche un trésor au sein même de son équipe. Il sait bien qu'il y en a. Aucun employé n'est à l'abri. Le contenu du coffre à trésors de chaque employé doit être protégé par un cadenas solide et caché dans sa personne. Le problème est que plusieurs employés n'ont pas d'endroit sûr où garder leur coffre, et un harceleur reste un harceleur. L'ennui et le stress cherchent un soulagement. Inévitablement, le harceleur trouvera un coffre à piller. Il en voudra le contenu pour lui seul, à moins qu'il ne s'organise avec d'autres harceleurs. Les deux situations sont possibles. Parfois, c'est le chef d'équipe qui pille le coffre d'un des employés, d'autres fois, c'est une partie de l'équipe qui s'en empare. Dans l'exemple donné dans le prologue, c'est le patron. Il décide de voler petit à petit le contenu du coffre. Cela paraîtra moins. Peu à peu, le coffre professionnel se vide. Et, comme le vol ne lui suffit pas, le harceleur se moque de l'employé. Il en fait sa victime. Un employé qui ne sait pas protéger son coffre à trésors ne vaut rien! Le patron commence à s'amuser aux dépens de l'employé. Il dresse les autres employés contre lui. Il change ses responsabilités, lui donnant des tâches plus ennuyeuses, plus dégradantes. Il le dépouille de ses outils de travail dans son bureau, lui enlève l'appartenance à une équipe. De senior et formateur, l'employé se retrouve au rang d'employé de dernière classe. Son patron le met à l'écart en se moquant de lui.

L'employé est désemparé, perdu, vidé. Toute sa vie de travail lui a été volée. Son coffre professionnel a été pillé. Les autres employés l'évitent. Ils ne lui parlent plus ou alors très peu. Parce qu'il n'accomplit plus les tâches auxquelles il était assigné dans la division, il se sent inutile. Il n'est plus un employé avec des responsabilités. On l'a mis à l'écart, parfois psychologiquement, parfois physiquement, en lui enlevant son bureau ou en lui donnant un petit coin de travail ridicule. Il maigrit. Il ne se sent pas bien. Il perd ses forces. Devrait-il partir? Quitter l'organisation? C'est que la compétition est féroce sur le marché de l'emploi! Comment survivra-t-il? Est-ce la bonne chose à faire? Peut-être vaut-il mieux attendre et porter plainte? Mais auprès de qui? Le croira-t-on? Est-ce qu'on le défendra? Y aura-t-il justice? Quelles preuves a-t-il en main? Les autres employés l'aideront-ils?

Que peut-il faire entre-temps? Comment peut-il s'aider lui-même? Existe-t-il des moyens pour se défendre? Pour se protéger? Qui peut lui venir en aide? Si jamais on le congédie, pourra-t-il se trouver un autre emploi? Qu'écrira-t-il dans son curriculum vitæ maintenant qu'il n'accomplit plus que des tâches dérisoires? Quelles références donnera-t-il? Que faire maintenant que son coffre à trésors professionnels est vide? Que son estime de soi est au plus bas? Que lui reste-t-il? Comment faire encore confiance aux autres employés, à d'autres patrons?

Bien que j'utilise l'image du coffre à trésors pour vous parler des effets du harcèlement psychologique au travail, j'espère que vous pourrez comprendre comment les victimes peuvent s'en sortir. Vous verrez au fil des pages que le problème vécu par la victime se révèle complexe. Vous verrez aussi que le harceleur, qu'il s'agisse d'un supérieur, d'un client ou d'une équipe, car le harcèlement peut être exercé par une équipe sur un employé en particulier, attaque impitoyablement et que la bataille est bien souvent inégale. Le harcèlement est si insidieux que les personnes qui le subissent ne s'en rendent pas compte au début. Par la suite, une fois qu'elles s'en sont sorties, elles n'osent en parler, soit parce que leur contrat de travail les oblige à se taire, soit parce qu'elles ont eu la peur de leur vie et qu'elles ne savent que trop bien que les harceleurs règnent dans à peu près tous les milieux de travail. Par la suite, une fois qu'elles en ont pris conscience, elles n'osent en parler, soit parce qu'elles ont peur de perdre leur emploi, soit parce qu'elles craignent d'envenimer la situation.

Lorsqu'on est victime de harcèlement, on n'ose pas non plus porter plainte, car on craint les représailles. En outre, les preuves du crime dont on est victime sont difficiles à construire; c'est le plus souvent la parole de l'un contre celle de l'autre. Pour un chef d'équipe, il est facile de dire que ce sont les exigences du monde du travail qui sont responsables du roulement des employés! Il est facile d'invoquer toutes sortes de raisons liées à la gestion. Pour l'équipe qui harcèle un pauvre employé, il est facile de se concerter, chacun ayant son agenda caché.

Le harcèlement psychologique au travail dépouille peu à peu la victime de ses trésors professionnels : le respect de soi, la considération des autres, sa dignité, sa place dans une équipe, son rôle de travailleur, son rôle social, sans parler du revenu et de l'épanouissement professionnel et personnel. Même si elle livre bataille, elle n'en sort jamais tout à fait intacte. Les harceleurs vous assaillent, vous pillent, vous fouettent le corps et l'esprit et s'amusent à vos dépens et décident ensuite s'ils vous gardent prisonniers dans leurs griffes ou s'ils vous jettent à la porte. Pour se donner bonne conscience, peut-être vous verseront-ils une petite indemnité de départ. Combat fini, vous êtes épuisé et désemparé.

Pour l'employé qui subit le harcèlement, les conséquences sont graves : déstabilisation constante, terreur, incompréhension, colère, doute, tristesse, insécurité, méfiance dans la vie de tous les jours, etc. Le harcèlement psychologique n'est pas une agression qui se manifeste au grand jour, ni un acte de violence physique, ni un combat loyal, mais c'est un acte de violence tout aussi destructeur. Il cause très souvent des dommages importants. L'employé est atteint en entier. Son corps et son esprit sont détruits. Il peut même être tenté d'en finir avec la vie. Des suicides ont été causés par le harcèlement. Cette agression est immorale par son intention et sa violence. Ses victimes sont démolies. Elles ne seront jamais plus comme avant ; une partie d'elles-mêmes est morte. La confiance qu'elles donnaient aux autres est brisée à jamais.

Ce livre permettra, je l'espère, d'aider les victimes de harcèlement psychologique au travail. Il propose des stratégies pour mieux gérer les conséquences du phénomène. Il explique à quoi la victime peut s'attendre si elle décide de dénoncer son ou ses harceleurs ou si elle préfère quitter l'organisation. Il explore des solutions. Si vous êtes victime de harcèlement professionnel, vous aurez des choix à opérer et des décisions à prendre. Ce livre vous donne des outils pour y parvenir et définit les choix qui s'offrent à vous face aux paroles ou aux actes hostiles ou humiliants. Des stratégies sont présentées pour vous aider à affronter votre agresseur et pour faciliter votre passage dans un milieu de travail plus sain ou un retour à vos tâches. Certaines de ces stratégies mènent à des solutions à court terme, d'autres, à des solutions à long terme.

Plusieurs d'entre vous n'ont sans doute jamais porté plainte pour harcèlement psychologique en milieu de travail et n'auront jamais de raisons de le faire. Mais si vous en étiez victime, sauriez-vous le reconnaître ? Sauriez-vous quoi faire ? Sauriez-vous vous aider ou aider un ami, un conjoint qui le subit ? Il se peut qu'un jour, malgré vous, vous viviez une situation de harcèlement. Vous vous sentirez alors épuisé, perdu, détruit dans votre propre estime, et vous ne saurez vraiment pas par où commencer ni comment agir. Il reste encore beaucoup de travail à faire pour améliorer la situation. J'espère apporter, par ce livre, ma petite contribution à cette problématique.

Dans un premier temps, après une mise en situation, j'aborderai les facteurs qui empêchent de reconnaître le harcèlement psychologique au travail. Je ferai ensuite un survol de la question du travail. Puis, je présenterai différentes définitions du harcèlement psychologique et décrirai ses diverses manifestations, après quoi je me pencherai sur les conséquences qu'entraîne, chez les victimes, le harcèlement psychologique au travail. Je donnerai des exemples provenant de témoignages de victimes. Finalement, j'explorerai différents moyens de faire face à ce problème, que vous décidiez de rester dans l'entreprise sans porter plainte, de rester, mais en dénonçant la situation, ou encore, de quitter votre emploi sans combat. Je vous expliquerai ce que vous pouvez faire si vous décidez de porter plainte. Je propose un plan d'action en cinq étapes, dont la dernière a trait à votre rétablissement nécessaire. Si vous êtes une victime, vous avez été agressé ! Vous devrez donc vous soigner, comme toute personne victime de violence.

Vous pouvez lire le livre du début à la fin ou vous pouvez le lire par bouts, en vous concentrant sur les chapitres qui vous concernent le plus. La mer est tumultueuse ? Il y a mutinerie à bord ? Bon employé, vous êtes maintenant enfermé dans la cale avec seulement du pain sec et de l'eau et vous ne savez pas si vous allez survivre ? Ou bien on vous a jeté à la mer, avec les requins, et vous ne savez pas comment regagner le port ?

Votre voyage n'est pas terminé. Laissez-moi vous aider à trouver les bons vents.

Alors partons !

Chapitre 1

Le harcèlement psychologique au travail, sauriez-vous le reconnaître ?

Imaginez que vous travaillez, en bon employé, comme vous l'avez toujours fait, et que votre patron vient un peu plus souvent qu'auparavant dans vos quartiers. Chaque fois, il a quelque chose à vous demander. Il a une question à vous poser, il vous sollicite pour une vérification de toute urgence. Cela ne prendra qu'une minute ! Et puis, avec le temps, vous remarquez que ses apparitions ont toujours lieu lorsque vous êtes en conversation avec un des autres employés du service. Elles ne surviennent pas n'importe quand. Seulement lorsque vous êtes avec un collègue… Immanquablement, chaque fois que tel ou tel collègue vient vous parler, si votre patron est aux alentours, il trouve une raison quelconque pour interrompre votre conversation avec ce collègue. La raison est souvent une bagatelle. Après quelque temps de ce petit manège, votre patron vous demande de ne plus fermer la porte de votre bureau lorsque vous avez des conversations privées. Il vous avise aussi que vous devez mettre un terme (et non pas les diminuer) aux conversations d'ordre personnel (vous n'en aviez pourtant pas beaucoup). Vous apprenez aussi qu'il a demandé à tous vos collègues d'arrêter de vous parler, sauf si le sujet est directement relié au travail.

Sauriez-vous y reconnaître un *possible début* de harcèlement ? Reconnaîtriez-vous un modèle d'action qui se répète ? Penseriez-vous au fait que par ce simple geste, votre patron est en train de détruire toute possibilité de communication avec vos collègues? Que si vous laissez continuer cette action sournoise, il vous isole tranquillement? Feriez-vous quelque chose? Prendriez-vous ces événements anodins comme étant suffisamment importants pour risquer une dispute ou du moins, une mise au point avec votre patron?

Et si vous décidiez d'agir, que feriez-vous? Sauriez-vous quoi faire? Confronter votre patron? Lui dire que vous avez constaté qu'il interrompt toute conversation? Que vous considérez cela dérangeant et que vous préféreriez qu'il frappe à votre porte et qu'il demande autorisation avant de parler?

Demanderiez-vous quelques minutes avant d'engager toute conversation avec lui afin de remettre celle que vous faisiez avec votre collègue? Commenceriez-vous à fermer votre porte, obligeant ainsi toute intrusion à s'annoncer auparavant? Peut-être penseriez-vous à afficher certaines règles de politesse? Ou même donner rendez-vous à votre patron? «Je serai avec vous dans cinq ou dix minutes»?

Ne pourrait-il pas vous répondre qu'il vous rappelle au travail? Ne pourrait-il pas vous dire qu'il a constaté que vous conversiez d'autres sujets que le travail et qu'il considère cela une indiscipline? Sur quoi vous défendrez-vous? Que vous discutiez travail uniquement? Que vous discutez «toujours» travail uniquement? Qu'il n'a pas à s'insurger dans vos discussions personnelles?

Et si vous preniez des mesures de civisme telles que demander un rendez-vous, afficher vos règles de conduite, etc., que feriez-vous s'il vous disait qu'il était alors très très occupé et qu'il avait besoin de votre réponse immédiatement? Lui diriez-vous que quoi qu'il en soit, qu'il doit concéder à vos règles ou laisseriez-vous passer «pour une fois»? Et lorsque cela se répète, exigeriez-vous une meilleure planification de sa part? Il est votre patron, n'oubliez pas!

Dans l'exemple donné, le plus plausible est que vous laisserez passer. Peut-être y a-t-il, dans la situation que vous vivez, un *possible début* de harcèlement. Peut-être pas. Pour être en mesure de poser un diagnostic, il faut savoir reconnaître les conduites abusives répétitives. Dans notre exemple, il est possible que votre patron est en train de détruire toute occasion de communication avec vos collègues. Si vous le laissez continuer cette action sournoise, il y a des risques pour que vous vous retrouviez peu à peu isolé. Il vous faudrait réagir. Mais, seriez-vous tenté de vous demander, ces événements en apparence anodins justifient-ils le risque d'une dispute avec votre patron?

Vous pourriez faire une mise au point avec votre patron, lui dire que vous avez constaté qu'il interrompt constamment vos conversations avec vos collègues et que ce comportement vous dérange. Vous pourriez lui suggérer de frapper avant d'entrer dans votre bureau et d'attendre d'être invité à parler.

Bien que votre patron vous ait demandé de ne plus fermer la porte de votre bureau lorsque vous êtes en conversation avec votre collègue, vous pourriez refuser d'obtempérer. Vous pourriez aussi juger bon d'afficher certaines règles de politesse sur votre porte ou encore préférer faire patienter votre patron : «Je serai avec vous dans cinq ou dix minutes. »

Mais quoi que vous fassiez, votre patron pourrait vous répondre qu'il s'agit d'un jeu de coïncidences, que c'est par hasard qu'il arrive dans votre bureau juste au moment où vous conversez avec un collègue. Il pourrait arguer qu'il était alors très occupé et qu'il avait besoin de vous immédiatement. Lui feriez-vous comprendre qu'il devrait mieux planifier son travail, de façon à ne pas avoir à se présenter à votre bureau inopinément pour vous demander de l'aide? Il pourrait aussi se justifier en disant qu'il a remarqué que vous parlez souvent d'autres sujets que le travail et qu'il considère cela comme une indiscipline; que, dans ces conditions, sa conduite ne vise qu'à vous rappeler à l'ordre. Lui rétorqueriez-vous qu'il a tort, que vous discutez «toujours» travail uniquement? Lui feriez-vous comprendre que, de toute façon, il n'a pas à s'immiscer dans vos conversations personnelles? Il est votre patron, n'oubliez pas!

Vous pourriez aussi décider de vous plaindre au supérieur de votre patron. Mais que lui diriez-vous? Que votre patron ne vous permet pas de discuter avec des collègues? Qu'il interrompt constamment vos conversations? Qu'il planifie mal ses tâches et que, par ses prétendues urgences, il vous dérange continuellement? Il est probable que le supérieur de votre patron n'y verrait rien d'anormal. Après tout, votre patron ne fait que vous interrompre une minute dans le cadre de son travail! Pour vous rassurer, le supérieur pourrait vous répondre qu'il avertira votre patron de faire attention, et pour lui l'affaire sera close. Vous penseriez sans doute la même chose. Il se peut aussi que le supérieur de votre patron ait bien d'autres chats à fouetter et qu'aussitôt que vous serez sorti de son bureau il oublie complètement vos doléances. Par conséquent, il y a fort à parier que le supérieur n'interviendra pas, surtout si, de surcroît, votre patron est un employé exemplaire aux yeux de son supérieur. Par ailleurs, si votre patron prend soin d'assurer ses arrières, c'est vous qui risquez de passer pour une mauvaise tête.

Finalement, après mûre réflexion, vous pourriez conclure que les intrusions de votre patron dans votre bureau et ses consignes aux autres employés à votre sujet relèvent d'une désorganisation de sa part en raison d'une période particulièrement occupée et que tout rentrera dans l'ordre lorsque le calme sera revenu. Ce n'est qu'un mauvais moment à passer.

Reconnaître le harcèlement psychologique n'est pas facile, n'est-ce pas? C'est qu'il s'agit d'une agression insidieuse, cachée, sournoise, qui ne laisse pas de marques visibles sur le corps. Malgré tout, le harcèlement psychologique est une forme de violence et, en tant que telle, il a des conséquences graves chez les personnes qui en sont victimes.

Dans notre exemple, il est probable que vous laisserez passer. Surtout s'il n'y a pas de précédents dans l'organisation pour laquelle vous travaillez et si les forces en présence sont très inégales, et ce à votre désavantage.

En définitive, le harcèlement psychologique au travail n'est pas facile à déceler.

Les obstacles au diagnostic

Reconnaître qu'il y a présence de harcèlement psychologique ne va pas de soi. Cela demande un certain temps, la répétition étant un élément caractéristique de ce phénomène. Il y a aussi le fait que nous sommes en présence d'une violence sournoise et pernicieuse, parce qu'elle n'est pas physique. Elle est alors plus difficile à détecter. C'est dans sa nature. Elle est tout de même répandue. Dans un sondage patronal-syndical réalisé en 2002 auprès de 95 000 employés de la fonction publique fédérale du Canada, près de 1 fonctionnaire sur 5 a déclaré avoir été ou être victime de harcèlement psychologique dans son milieu de travail[1].

Le harcèlement psychologique au travail sème la terreur, la victime se sentant prisonnière d'une situation intenable. D'autre part, une multitude de facteurs se rattachant à la victime peuvent entraver une détection rapide. Une solide estime de soi et une bonne connaissance de ses droits légitimes en tant qu'employé sont une base nécessaire pour pouvoir reconnaître qu'il y a abus. La sécurité, tant sur le plan financier que sur le plan de l'emploi, est aussi un élément important. Outre les caractéristiques de la victime et la nature du harcèlement psychologique, il existe une panoplie de facteurs qui empêchent la reconnaissance du phénomène. En gros, les circonstances suivantes y font obstacle:

– Les actes sont niés par le harceleur;

– La victime n'a pas encore pris pleinement conscience des paroles ou des actes hostiles, injurieux ou humiliants à son égard. Sa situation demeure confuse;

– La victime croit qu'elle se trompe, que ce qu'elle perçoit est erroné. Elle pense qu'il y a une raison qu'elle ne connaît pas;

– La victime n'a pas de preuves des pièges qui lui sont tendus;

– La victime est trop occupée par son travail pour noter les situations d'agression. Le harceleur, de son côté, agit pendant les heures de travail. Il y a inégalité. Il peut tourmenter l'employé à tout moment, alors que celui-ci doit s'acquitter de ses tâches malgré tout;

---

1. Secrétariat du Conseil du Trésor du Canada, «Publication des résultats du sondage 2002 pour l'ensemble de la fonction publique auprès des fonctionnaires fédéraux», http://www.tbs-sct.gc.ca/media/nr.cp/2002/1202_f.asp?printable = true.

– Avant que la victime soupçonne des faits et gestes douteux, elle est déjà isolée, presque prisonnière des gestes hostiles et des abus verbaux de son agresseur. Elle est trop incertaine de la solidité de son dossier pour se battre (d'où l'importance de tout noter et d'agir dès le début);

– Certains jours, le harceleur est «correct» envers la victime, alors elle croit s'être trompée. Elle passe l'éponge sur les conduites abusives précédentes;

– La santé de la victime est trop altérée par la situation pour qu'elle ait la capacité de réfléchir objectivement aux événements passés;

– En raison d'une faible estime de soi, la victime est incapable d'exiger le respect ou encore de comprendre ce qui lui arrive;

– Personne dans l'entourage de la victime ne confirme la situation. Ses collègues se sont éloignés, son médecin pense qu'elle fait une dépression nerveuse ou qu'elle souffre d'épuisement professionnel;

– Le harcèlement psychologique ne se manifeste pas par des actes de violence typiques, tels que la majorité d'entre nous les connaît. Il prend la forme de paroles inappropriées ou d'actions inopportunes qui viennent bouleverser les tâches de l'employé. L'agresseur dénigre sa victime, parfois devant elle, parfois à son insu. Cela crée un tel désordre dans l'esprit de la victime que celle-ci ne sait pas trop comment réagir;

– La victime ne connaît pas l'existence du harcèlement psychologique au travail. Elle ne pense pas à se renseigner ou n'en a pas la possibilité. Elle n'a pas de modèle ni de connaissances sur le sujet.

Mon histoire

Ce livre n'est pas un témoignage de mon histoire personnelle. Ce qui compte ici, c'est que vous sachiez que je considère avoir vécu une situation de harcèlement psychologique au travail dans mon passé professionnel et que je m'en suis sortie. Je suis maintenant heureuse et épanouie sur les plans professionnel et personnel.

Oui, j'estime avoir été victime de harcèlement psychologique. Je sais ce que vous ressentez. Je comprends vos tourments et les difficultés auxquelles vous faites face. J'ai ressenti vos craintes et vos peurs. J'ai vécu la confusion et la remise en question face à des événements qui me dépassaient. Je me suis demandé si j'étais coupable. Puis, j'ai été submergée par la colère et la rage en voyant ma dignité personnelle et professionnelle voler en éclats. Je comprends la tristesse que suscite le fait de ne pas savoir comment agir.

J'ai passé plusieurs nuits blanches et j'ai perdu l'appétit. J'ai pleuré et j'ai éprouvé de l'angoisse. Mon dos, qui était déjà faible, me faisait de plus en plus souffrir et nécessitait plus de traitements chiropratiques. Soudainement, j'étais aussi plus émotive que jamais.

Toutefois, j'ai eu la chance d'être admirablement entourée. J'avais un mari aimant qui me soutenait constamment sans jamais douter de moi. Mon mari et ma famille m'ont très bien soutenue.

J'ai eu des amis, hommes et femmes, qui ont conservé leur confiance en moi. Certains de mes collègues, témoins des événements, continuaient à me manifester leur respect, tant envers ma personne qu'envers mon intégrité et mes compétences professionnelles. Au sein de ma corporation professionnelle, des collègues m'ont soutenue, car, même s'ils ne connaissaient pas les événements que je vivais, des rumeurs avaient couru et ils avaient su départager le vrai du faux en se fondant sur les preuves de mon intégrité professionnelle tirées de mon passé.

J'ai eu la chance de savoir quoi faire. Dès les premiers soupçons, j'ai commencé à tout noter. J'ai rapidement posé des limites. J'ai exigé le respect de mes droits. Je me suis gardée occupée tout en continuant à travailler avec intégrité et objectivité. J'ai lu beaucoup sur le sujet et je me suis informée. J'ai pris soin de bien me divertir et, grâce au fait que je me tiens physiquement en forme depuis plusieurs années, une partie du stress et des frustrations était évacuée.

J'ai fait mon examen de conscience et il m'est apparu clair que je n'avais rien à me reprocher. Je m'efforçais de faire confiance à la vie.

Toutefois, de toute ma vie jamais je n'ai ressenti autant de colère face aux injustices que j'ai tout de même vécues. Certaines actions et certains gestes avaient été faits et j'en avais été victime. J'ai finalement voulu faire la paix avec le passé. Je ne voulais pas que cette colère m'habite pour toujours. J'ai décidé d'écrire. Je voulais aider.

Aider les autres victimes de ce phénomène. J'ai donc écrit ce livre. J'ai bouclé la boucle.

Un petit avertissement est ici nécessaire. Si on posait la question aux personnes concernées dans mon histoire, elles nieraient sans doute avoir pratiqué du harcèlement psychologique. Le fait que je considère avoir été une victime de ce phénomène demeure une opinion personnelle.

Chaque situation est particulière et s'accompagne d'une foule de détails ; ce sont ces détails qui font toute la différence. Ce sont eux qui mettent en lumière les sentiments éprouvés par la victime. Je vous propose donc de vous concentrer non pas sur mon histoire, mais plutôt sur les moyens que j'ai pris et sur ceux qui sont à votre portée pour faire face à une situation de harcèlement psychologique.

La liberté et ses dérivés

Le travail est l'un de nos trésors personnels. Il occupe une place centrale dans nos vies. Non seulement il nous permet d'acquérir une plus grande liberté, par le biais de l'argent qu'il nous procure, mais il est aussi une source d'épanouissement personnel et professionnel. Nous passons plusieurs heures par jour dans notre milieu de travail. Plus que dans tout autre milieu. Nous passons aussi plusieurs années de notre vie à travailler. Trente-cinq à quarante de nos meilleures années sont dépensées dans nos activités professionnelles. Et que dire de toutes les heures consacrées à la formation pour le travail ? Avec l'allongement constant du temps de formation, autant la formation nécessaire à l'entrée en emploi que la formation continue, force est de constater que l'on donne beaucoup de temps et d'énergie au travail. Combien de sacrifices consentons-nous pour le travail ? Combien de divorces sont, pour une bonne part, causés par le trop grand nombre d'heures consacrées au travail ? Combien de relations prennent fin du fait que le travail occupe trop de temps ou est trop exigeant (voyages, congrès, réunions de toutes sortes, etc.) ? Combien de parties de soccer de fiston sont manquées parce que travail oblige ? Combien de spectacles ?

La violence

Il n'est pas simple de définir la violence. Elle se présente sous de nombreux visages et c'est là ce qui la rend difficile à cerner. En ce qui me concerne, je suis d'accord avec Normande Vasil lorsqu'elle écrit, dans *J'accuse la violence* :

> [La violence] est tout acte, toute parole, tout geste, qui porte atteinte à la personnalité de l'être humain et à sa dignité. Tout ce qui détruit, surtout la vie, mais aussi ce qui l'agresse et entrave son épanouissement personnel, non seulement dans son intégrité physique mais aussi dans ses droits fondamentaux, ses libertés, ses émotions ou la jouissance de ses biens[2].

Cette définition, qui se limite à l'être humain, englobe la domination, les traitements injustes et le maintien dans l'ignorance. Le harcèlement psychologique constitue, comme nous le verrons, une forme de violence puisque le harceleur tourmente constamment sa victime afin de la dominer. Il commet de nombreuses injustices envers sa victime. Il peut la maintenir dans l'ignorance en lui refusant de participer aux réunions, en la tenant à l'écart. Il porte atteinte à sa personnalité et à sa dignité en l'humiliant. Il compromet sa capacité de jouir de la vie en empêchant son développement professionnel et, par conséquent, son épanouissement personnel.

Notre société, par ses lois, considère la violence entre personnes comme étant moralement inadmissible. Les paroles et les gestes hostiles ou humiliants, qui constituent des actes de violence et qui caractérisent le harcèlement professionnel, sont donc inadmissibles ; ils ont des conséquences graves chez les victimes, ainsi que des conséquences d'ordre social. Notamment, les liens de confiance nécessaires à la vie en société sont rompus chez les victimes.

Cependant, il est courant de minimiser la violence psychologique, de la juger moins dangereuse que la violence physique. Nous avons tendance à penser qu'il n'y a pas eu de violence, que c'est le

---

2. Normande Vasil, *J'accuse la violence,* Québec, Éditions JCL, 1999.

«faible» qui ne fait pas preuve de volonté et de force. Par rapport au monde du travail, n'avons-nous pas à être forts, efficaces et sans faiblesses?

C'est que la seule violence mesurable et incontestable est la violence physique. Celle-ci porte directement atteinte au corps des personnes. La violence physique est visible et la victime a souvent droit à notre compassion. La violence psychologique est beaucoup moins évidente. Et plutôt que de compatir, on peut aller jusqu'à dire que la victime mérite ce qui lui arrive. On a aussi tendance à penser que la violence psychologique est moins dure. Le fait qu'elle n'entraîne pas directement la mort, alors qu'on le voit couramment dans le cas de la violence physique, nous porte à croire qu'elle possède moins de force. Pourtant, les victimes des deux types de violence vous diront toutes qu'elles se sont remises plus vite des atteintes physiques que des atteintes psychologiques.

De plus, lorsque la victime se défend, on peut facilement la tenir pour responsable des problèmes qu'elle connaît. Prenons l'exemple d'une victime de violence verbale qui se défend en contre-attaquant, mais toujours sans succès. Son objectif est simplement de mettre fin à la violence qu'elle subit de façon répétée. Malheureusement, la personne qui détient le pouvoir, qui est ici le bourreau, et qui est souvent dotée de bonnes habiletés de manipulation, se pose alors comme étant une victime et, soudainement, elle se voit investie du rôle de justicier.

Vous direz que les victimes ne sont pas toujours irréprochables. Que l'agresseur exerce peut-être effectivement du harcèlement psychologique, mais que l'employé est peut-être aussi un mauvais employé et que, celui-ci étant bien «protégé» par sa convention collective, l'employeur n'a d'autre moyen de s'en débarrasser que de rendre infernal l'univers de l'employé, dans l'espoir qu'il donne sa démission.

Cependant, dans le harcèlement psychologique au travail, un des critères qu'on trouve immanquablement est l'innocence. Pas l'innocence morale ni l'innocence face à la responsabilité civile reliée au travail, mais l'innocence au sens de la responsabilité face aux actes du harceleur et au problème ou conflit existant. La victime n'a rien à voir avec les raisons pour lesquelles elle se fait harceler. Dans le cas contraire, lorsque l'employé est effectivement un « mauvais employé », en ce sens qu'il accomplit mal son travail ou présente un problème de comportement, il y a conflit entre l'employeur et l'employé. Toutefois, il est important de noter que le conflit n'est pas problématique en ce qui a trait à la violence. Un conflit ne s'accompagne pas toujours de violence. Un conflit est une rencontre d'éléments qui s'opposent, provoquant une déstabilisation de l'équilibre des relations entre les individus concernés. Il devient alors nécessaire de rétablir l'équilibre, et les moyens utilisés seront empreints ou non de violence.

Un autre critère est le caractère gratuit des mauvais traitements infligés aux victimes. Par exemple, l'agresseur ou le groupe d'agresseurs peut décider d'user de violence à l'endroit d'un employé pour la simple raison que celui-ci ne participe pas aux activités sociales. Il y a autant de raisons qu'il y a d'agresseurs, mais il n'y a aucune relation entre ces raisons et le conflit. La victime n'a pas commis de faute en relation avec ce que l'agresseur lui reproche. Il lui reproche de penser autrement. Il lui reproche de ne pas prendre part aux activités sociales. Il lui reproche de bien effectuer son travail. Il lui reproche d'être là, etc. Il traite sa victime comme si elle devait payer pour une faute qu'elle n'a pas commise. Il lui fait porter le fardeau des fins qu'il poursuit. Regardons un exemple.

Gérard est ingénieur et travaille pour le gouvernement depuis vingt ans. À la suite d'une restructuration d'envergure, ne désirant pas le licencier, les directeurs l'ont muté. Le service où il se retrouve accueille une majorité d'ingénieurs beaucoup plus jeunes que lui et moins expérimentés. Même son nouveau patron ne possède que huit années d'expérience dans ce domaine. C'est un petit groupe de 10 où tout le monde s'entend à merveille et a plusieurs activités sociales, en marge du travail. Tout de suite, le groupe perçoit Gérard comme une menace. En raison de son ancienneté, il vient déranger l'ordre établi en ce qui a trait à l'allocation des vacances et des quarts de travail de jour et de soir, de semaine et de fin de semaine. De plus, Gérard ne se joint pas au groupe pour aller prendre une bière les jeudis, après le travail.

La violence verbale débute à partir du moment où l'agresseur utilise des éléments de la conversation, lorsque celle-ci existe, qui ne sont pas en relation avec un conflit, mais avec la personne. L'agresseur dénie à la victime toute autorité morale et le droit au respect. La victime devient une «sous-personne». Le plus important, c'est que l'agresseur lui fait supporter les coûts reliés à la réalisation de ses fins. L'agresseur déplace ainsi la responsabilité de la violence.

Après quelque temps, les ingénieurs commencent à traiter Gérard de «vieux», de personne qui a «du vécu». Ces petites piques, qui prennent peu à peu de l'ampleur, ne lui sont pas envoyées dans un esprit positif. Son expérience n'est plus un atout, mais un «fardeau préhistorique» à porter. À plusieurs occasions, on ne manque pas de lui rappeler que ses manuels sont désuets et que les méthodes ont bien changé. Petit à petit, ses collègues le convainquent que la technologie a tellement évolué qu'il n'est vraiment plus efficace, que ses compétences sont dépassées. Lorsqu'un problème survient, on en attribue immédiatement la faute à Gérard, qui a employé une «vieille méthode».

Il est assez courant qu'un agresseur rejette sur sa victime la responsabilité de son geste; par exemple, le violeur qui prétend que sa victime a désiré les sévices qu'il a exercés sur elle. Un autre exemple de ce type d'attitude provient de certaines cultures où un agresseur est en droit de décider qu'une victime a mérité ce qui lui arrive parce qu'elle est sa femme.

L'agresseur peut faire preuve d'une cruauté incroyable. La victime en est réduite à servir d'instrument dans la poursuite des fins d'autrui. Elle est aussi niée dans sa dignité de personne humaine et morale. Ces agressions, actes ou paroles, constituent une violation de la personne; il ne s'agit donc pas d'un simple conflit de travail!

La manipulation

Avez-vous l'impression que votre patron ou vos collègues vous manipulent continuellement? Vous arrive-t-il de vous sentir comme si vous aviez le couteau sur la gorge? Par exemple, on vous sollicite pour une tâche qui ne relève pas de vos fonctions et on vous remercie avant même que vous ayez eu le temps de répondre. Ou encore, en votre présence, on manipule verbalement, en orientant la conversation, un collègue, un patron ou un client, et soudainement vous vous trouvez obligé de faire quelque chose que vous ne vouliez pas au départ.

Nous avons tous été manipulateurs à un moment ou un autre dans notre vie. L'enfant manipule ses parents lorsqu'il pleure et crie dans l'espoir qu'ils lui donneront ce qu'il veut. Se montrer particulièrement «gentil», en faisant des flatteries et en usant de séduction, afin d'obtenir quelque chose de quelqu'un relève aussi de la manipulation. Ou encore se comporter comme si quelque chose avait été convenu et décidé, alors que tel n'est pas le cas, afin d'obliger l'autre à faire ce que l'on veut.

Il existe plusieurs façons de manipuler autrui. Lorsqu'une personne cherche à obtenir ce qu'elle veut par des moyens indirects et détournés, il y a manipulation. Lorsqu'une personne a une intention précise et «empêche» systématiquement l'autre d'agir comme il le veut ou l'amène à faire quelque chose d'autre, il y a manipulation.

Toutefois, manipuler ne veut pas dire harceler. Le harcèlement suppose une répétition soutenue et progressive ainsi qu'une intention de contrôle, une volonté de parvenir à certaines fins, à moins qu'il ne s'agisse de terribles erreurs de gestion dues à un marché du travail exigeant et à un million d'autres facteurs. Par conséquent, le manipulateur n'est pas toujours harceleur. Toutefois, le harceleur est presque toujours manipulateur.

Qu'il en soit conscient ou non, le harceleur adopte souvent des styles de conversation et de comportement qui s'apparentent à la manipulation répétitive. Par contre, on trouve certaines situations de harcèlement où l'agresseur n'est pas nécessairement manipulateur à l'endroit de la victime, comme en témoignent les exemples présentés ci-après. Les conflits de travail qui dégénèrent ou qui ne sont pas gérés adéquatement ne s'accompagnent pas nécessairement de manipulation.

Sachez tout de même vous en protéger. Il existe des techniques de manipulation. Il y a aussi des manipulateurs «pathologiques», c'est-à-dire qui ne sont pas, pour la plupart, conscients de leur comportement manipulateur. On trouve aussi les pervers, qui savent parfaitement ce qu'ils font et qui en retirent une immense satisfaction. La vente est un exemple de manipulation où le vendeur utilise des techniques de persuasion. Il existe d'autres types de manipulation, qui se fondent sur des stratégies comportementales. Toutefois, la persuasion nous est plus familière. C'est pourquoi il nous est plus facile de la déceler et de la comprendre — malheureusement trop souvent après coup seulement! En ce qui concerne les stratégies comportementales, nous en sommes beaucoup moins conscients, car celles-ci reposent sur la complexité psychosociale de l'être humain. Ainsi, l'étude des comportements humains a montré que les gens répondaient aux besoins du manipulateur lorsque celui-ci agit selon ces techniques. Il emploie des techniques telles que le leurre, l'amorçage et la technique du pied-dans-la-porte, et il en existe probablement d'autres. Ces techniques nous incitent à faire volontairement quelque chose que nous n'aurions pas fait autrement. Il vous est sûrement déjà arrivé de vous rendre dans un magasin avec l'intention d'acheter un vêtement en solde, mais que celui-ci ne soit plus disponible dans la grandeur désirée. Vous constatez en même temps qu'il n'y a, en fait, qu'une très petite quantité du vêtement en solde, et pourtant vous vous êtes présenté dès le premier jour de la vente au rabais. Le vendeur s'amène et vous propose un autre modèle qui, comme par hasard, coûte un peu plus cher. Dans une certaine mesure, le commerçant atteint ainsi son but : vendre l'autre produit, augmenter ses ventes, écouler la marchandise, etc. Vous avez été victime de la technique du leurre.

Nous utilisons tous ces différentes techniques. Consciemment ou inconsciemment, nous manipulons alors quelqu'un. Nous le faisons parfois pour des raisons d'ordre commercial, comme dans l'exemple précédent. Dans d'autres situations, nous le faisons pour obtenir quelque chose que nous n'osons pas demander en termes explicites. Notre communication est remplie de messages implicites, qui visent à amener notre interlocuteur à nous donner ce que nous voulons.

La manipulation commerciale et celle que nous pratiquons dans nos relations personnelles diffèrent de la manipulation qui se rattache au harcèlement psychologique ; on note dans ce dernier cas une répétition du comportement dirigé vers une personne en particulier ainsi qu'une progression de ce comportement et une intention de contrôle axées sur l'obtention de bénéfices au profit du harceleur seulement. Dans son livre *Les manipulateurs sont parmi nous,* Isabelle Nazare-Aga distingue différents types de manipulateurs : le manipulateur sympathique, séducteur, altruiste, timide, dictateur et cultivé[3].

Selon elle, tous ces manipulateurs exploitent un trait de leur caractère pour influencer les gens autours d'eux à leur profit personnel. L'un utilisera son caractère « bon vivant et social » pour vous manipuler. L'autre profitera de son « pouvoir de séduction ». Le troisième vous manipulera en se servant de sa « gentillesse » ; par exemple, il se montrera empressé à vous rendre service, mais d'une façon telle que vous vous sentirez incapable de lui dire non lorsqu'il vous demandera quelque chose en retour. Le quatrième mise sur une « image de faiblesse et de vulnérabilité » afin de mieux vous juger et de vous déstabiliser, par exemple en s'empêchant de donner son avis lorsque vous le lui demandez, et ainsi de suite. Vous reconnaissez quelqu'un ?

L'intention du manipulateur est d'obtenir ce qu'il veut et de donner très peu en retour, voire de ne rien donner du tout. N'oubliez pas qu'il n'est pas toujours conscient des schémas de communication manipulatrice qu'il adopte. Ces personnes essaient de satisfaire des besoins psychologiques par l'intermédiaire des autres.

Cependant, on se sent toujours épuisé en présence de ces personnages. On a le sentiment que quelque chose nous est volé. Par exemple, le manipulateur de type cultivé se servira de connaissances pour vous mettre dans l'embarras et vous manipuler. Derrière la façade, il n'est pas réellement cultivé, mais il fait tout en son pouvoir pour en donner l'impression. Là où il dérange, c'est quand il arrive à produire cette image de lui-même qu'il aime bien en

---

3. Isabelle Nazare-Aga, *Les manipulateurs sont parmi nous,* Montréal, Les Éditions de l'Homme, 1997, 2004.

accentuant votre ignorance, et ce de préférence devant les autres, chaque fois que l'occasion se présente. Par son discours verbal et non verbal, il réussit à se faire voir comme quelqu'un qui possède une grande culture, et de personne intelligente, voilà que vous vous sentez tout à coup transformé en parfait imbécile. Une partie de votre personnalité, de votre intelligence que vous jugiez jusqu'alors normale, vous est subtilement enlevée pour quelques instants.

Un dernier type de manipulateur que décrit Isabelle Nazare-Aga est le manipulateur dictateur, un personnage abusif. Ce type de manipulateur est prompt à l'attaque et ses comportements peuvent être violents. Il est autoritaire et très désagréable. Il est de ce fait difficile à vivre, et les gens le décrivent comme étant caractériel. En réalité, ce que les autres éprouvent ne l'intéresse nullement. À l'opposé du manipulateur séducteur, avec lui, les compliments, les flatteries et même les politesses se font plutôt rares.

Ces différents types de manipulateurs se rencontrent partout dans la société. Dans son livre, Isabelle Nazare-Aga se concentre surtout sur ces manipulateurs qui, bien que la manipulation soit coutumière chez eux, n'ont aucunement conscience de leurs faits et gestes. Ils sont dits «pathologiques». Cependant, elle mentionne aussi le manipulateur pervers, un type qui nous intéresse ici plus particulièrement. Car la manipulation qui s'exerce dans le contexte du harcèlement psychologique au travail peut être carrément perverse. Il y a une intention perverse sous-jacente et cette intention est ce qui motive le harceleur à continuer à manipuler sa victime.

Le harcèlement psychologique au travail fait mal. Très mal. Il vole la valeur personnelle et professionnelle de l'individu. Il attaque sa personnalité et ses capacités, sa confiance en soi et son estime de soi. Il prend sa joie au travail. Chaque jour, le harcèlement détruit quelque huit heures de vie professionnelle, un temps perdu dans une existence qui ne mérite pas cela.

Le harcèlement professionnel est insidieux et nie tout respect dû à l'être humain. Il va en augmentant, finit par isoler, psychologiquement et même physiquement, l'individu qui en est victime et il compromet sa santé physique et mentale. Le harcèlement psychologique au travail n'est pas une bagatelle.

La paix, contraire à la guerre?

La paix ne se définit pas par l'absence de guerre. Être en paix demande plus. Cela implique un sentiment de sécurité. La paix exige le respect de l'ensemble des droits de l'homme. La guerre est un conflit où les actes de violence sont organisés, planifiés et souvent même légalisés. L'homicide, malheureusement, y est accepté. Ce sont des actes de destruction visant à contraindre l'adversaire à exécuter une volonté particulière, qui n'est pas la sienne. Les stratégies de guerre sont dites directes ou indirectes. La stratégie directe détruit physiquement les forces ennemies et la stratégie indirecte détruit les forces morales, mentales et émotionnelles de l'adversaire jusqu'à ce qu'il soit paralysé dans sa liberté d'action. Il y a différentes formes de guerre et les raisons en sont très nombreuses: guerres de Religion, Seconde Guerre mondiale causée par le racisme extrême, guerres civiles, etc. Une nouvelle forme de guerre a été décrite récemment et désignée en tant que conflit identitaire[4]. Dans ce type de guerre, «[…] un groupe agit non seulement au nom de la défense de son identité, mais aussi avec la certitude qu'il est menacé de disparition ou de domination». Autrement dit, un être humain peut déclarer une guerre identitaire s'il croit que son existence et son identité ethnique, définie par sa langue, sa religion, son histoire, sont menacées. Cette menace peut être réelle ou non. Par extension, le harceleur, qui éprouve un sentiment d'insécurité par rapport à son identité personnelle, ne se sent-il pas facilement menacé? N'est-il pas en position d'attaque? Jusqu'à quel point le harcèlement pourrait-il être une guerre identitaire, en plus d'être inavouée et unilatérale?

Le terrorisme, pour sa part, est l'emploi de la violence, par des actions ponctuelles (attentats, sabotages, prises d'otages, etc.), visant à créer un climat d'insécurité et de terreur, à des fins politiques. C'est une définition simplifiée mais reconnue. L'aspect politique est important. C'est l'une des particularités qui différencient le terrorisme d'autres actes agressifs ou du harcèlement. Cependant, le

---

4. François Thual, *Les conflits identitaires,* Paris, Ellipses, 1995.

harceleur n'en terrorise pas moins sa victime et se sert très souvent d'otages. Il exerce unilatéralement son pouvoir sur sa victime jusqu'à ce qu'il y ait réaction et actes de défense. Dans les événements du 11 septembre, le terrorisme ne se limitait pas à la destruction physique d'individus ou d'immeubles ; il visait aussi à créer un climat de frayeur et d'insécurité. De même, lorsqu'un individu harcèle un autre individu, d'une façon répétée et progressive, avec l'intention de nuire, n'exerce-t-il pas une menace constante et permanente sur l'autre ? En éliminant l'aspect politique du terrorisme, ne trouvons-nous pas des similitudes entre ce dernier et le harcèlement ?

CHAPITRE 2

Le travail

Le travail prend beaucoup de place dans le monde occidental. Nous travaillons en échange d'un gain, pécuniaire ou autre. Selon Mark A. Lutz, « le travail rémunéré est une activité qui fournit non seulement les moyens matériels de survivre, mais aussi les moyens de mieux jouir de la vie[5] ». Pour la plupart d'entre nous, ajoute-t-il, « il est un moyen d'atteindre des objectifs extérieurs au travail lui-même et il conditionne même l'insertion sociale ». Le travail nous permet de faire quelque chose de productif dans la société. Il nous permet de satisfaire de nombreux besoins. Il nous permet de nous épanouir. De plus, il donne un sens social à notre vie.

Les adultes, femmes et hommes, s'identifient à un travail, quel qu'il soit. Il fait partie de notre identité professionnelle. Dans nos sorties sociales, on se désigne en tant que professeur, infirmière, électricien, ingénieur, etc., aussitôt que quelqu'un nous demande quelle est notre occupation. Quelle femme répond : « Je suis mère. Je m'occupe de mes deux enfants », lorsqu'elle est avocate ? Malheureusement, c'est après avoir perdu quelque chose que l'on constate son importance. Lorsqu'une personne perd son emploi, cela est difficile pour son identité, pour sa dignité de personne humaine. En outre, son revenu s'en ressent et, par conséquent, son niveau de vie. Sa capacité à jouir de la vie est compromise. Cela représente un stress majeur.

---

5. Mark A. Lutz, « Vers une théorie économique plus générale du travail », *Revue internationale des sciences sociales,* vol. 32, 1980.

Le travail est un monde où se mêlent hommes et femmes, ambitions et plaisirs, compétition et entraide, équipes et communauté ou individualité, etc. Nous passons beaucoup de temps au travail. L'homme travaille plus que jamais depuis les temps modernes. Le travail occupe donc une place majeure dans nos vies d'adultes. Le travail nous suit constamment. Nous ne le quittons jamais, contrairement aux générations précédentes. Nous apportons les dossiers à la maison. Nous faisons des activités sociales avec nos collègues. Nous vérifions nos courriers informatiques. Nous traînons partout notre cellulaire ou notre téléavertisseur. Nous pouvons être joints n'importe où et n'importe quand pour des raisons de travail, et, dans bien des cas, nous trouvons cela acceptable. Notre rapport au travail a complètement changé. Le travail tient une place considérable dans nos vies. Lorsqu'il devient un enfer et qu'on y est terrorisé, c'est une grosse part de nous qui est affectée.

Le travail est intimement lié à notre désir de consommer, d'acquérir des biens et des services. Nous voulons tous une belle et grande maison, une voiture, les appareils électroniques du dernier cri, etc. Nous avons besoin d'argent pour nous procurer ces choses qui nous sont continuellement montrées comme étant des sources de bonheur. Même les activités que nous faisons durant nos vacances ou nos temps libres demandent de l'argent !

La qualité de vie au travail

Plusieurs chercheurs se sont penchés sur la qualité de vie au travail. Divers indicateurs de satisfaction ont été établis. Ils sont reliés à l'importance donnée à la dimension humaine au travail. L'accent est mis sur les rapports entre les gens et leur travail. Un bon rapport est associé à une plus grande participation des employés dans leur milieu de travail, qui se voient confier plus de responsabilités. Roch Laflamme, dans son livre *La vie dans les organisations* écrit : « [La qualité de vie au travail] désigne un mode de vie au travail mettant en valeur l'être humain plutôt que les objets[6]. » Pour que la personne

---

6. Roch Laflamme, *La vie dans les organisations,* Québec, Presses de l'Université du Québec, 1994.

soit mise en valeur, certaines conditions doivent être remplies. Le contexte social et psychosocial, l'environnement physique et les tâches assignées au travailleur doivent être adéquats.

La qualité de vie au travail, la satisfaction, le climat et la culture organisationnelle sont des concepts liés à la vie au travail. Ils sont continuellement étudiés. Ils sont aussi en perpétuel changement en raison de l'évolution des normes et des valeurs de la société. La définition de ces concepts n'est pas simple. Aussi, c'est à l'aide d'indicateurs que les chercheurs réussissent à mieux cerner les réalités qu'ils recouvrent. Ceux-ci préparent des questionnaires et demandent aux travailleurs de leur dire quels sont les facteurs qui favorisent leur vie au travail. Sans aller trop loin dans les détails, il est intéressant de signaler que certains indicateurs sont communs à tous les concepts alors que d'autres ne le sont pas. Ils sont au nombre de sept : la rémunération, la supervision, les collègues, l'autonomie, les conditions physiques de travail, la communication, les politiques et les règles. Ainsi, on est à même de constater que, si votre patron est votre harceleur, que vous êtes séparé de vos collègues parce qu'il vous a écarté de votre lieu habituel de travail et qu'il surveille continuellement votre travail, presque tous les indicateurs sont touchés. Par exemple, l'indicateur positif de supervision comporte une dimension de compétences en leadership et en soutien humain et technique. Votre patron ne vous donne pas un soutien humain s'il vous harcèle ! L'indicateur se rapportant aux collègues indique la qualité des relations entre les membres de l'organisation, la capacité de s'intégrer à l'équipe de travail. Comment développer ou maintenir des relations positives lorsqu'on vous isole physiquement de vos collègues ? L'autonomie est associée à la maîtrise de sa profession. Qu'en est-il lorsqu'on vous impose des tâches qui ne correspondent pas à vos compétences ? Les conditions physiques de travail englobent les facteurs reliés à la santé et à la sécurité au travail. Certaines victimes de harcèlement se retrouvent sans bureau, sans téléphone, sans télécopieur et sans ordinateur pour effectuer leur travail !

La communication est la condition de vie de l'organisation. Celle-ci est vouée à l'échec en l'absence d'une communication efficace.

Pensons à la tour de Babel! Quant aux politiques et aux règles, il s'agit d'indicateurs qui font référence à une certaine forme de contrôle et de communication. Ce sont ces politiques et ces règles qui, justement, doivent empêcher le harcèlement au travail. Je ne suis pas en train de dire que l'absence de positivisme par rapport à ces indicateurs est une preuve de harcèlement. Je dis que le harcèlement a des effets négatifs sur ces indicateurs utilisés pour évaluer la qualité de vie au travail.

Les règles de travail

Est-ce que la fin justifie les moyens? La réponse est non. C'est la raison pour laquelle les êtres humains se sont donné des règles. Toute organisation de travail a des règles. Elles s'appuient sur plusieurs choses: la loi de la société dans laquelle l'organisation existe, la morale, les droits humains, les conventions sociales et la philosophie de gestion des dirigeants de l'organisation. Les valeurs auxquelles ceux-ci adhèrent orientent la philosophie de gestion. Ainsi, chaque règle est fondée sur une valeur. Ces valeurs diffèrent d'une organisation à l'autre.

De plus, tout comme dans la société, il existe une hiérarchie dans les organisations de travail. En vertu de cette hiérarchie, certains employés ont des droits que d'autres n'ont pas. Par exemple, votre supérieur a des droits de décision que vous n'avez peut-être pas. Mais, quel que soit notre rang, nous avons tous des droits fondamentaux.

Un employeur est tenu, envers un salarié, à cinq grandes obligations: lui donner un travail convenu, le rémunérer pour le travail exécuté, assurer sa sécurité durant le travail, protéger sa dignité et empêcher toute atteinte à son intégrité et à sa vie privée. Ces deux derniers éléments sont cruciaux en ce qui concerne le harcèlement.

On entend par travail convenu un travail approprié au chapitre de la quantité, du type de tâches à effectuer et du degré d'autonomie ou d'autorité et de responsabilités qui s'y rattache. Lorsqu'un employeur change substantiellement ces caractéristiques d'une façon unilatérale, sans le consentement de l'employé, on peut être en présence de harcèlement visant à forcer l'employé à quitter son emploi.

L'intention est de se débarrasser de lui à moindres coûts, en évitant de verser l'indemnité de départ. Différentes raisons font que l'employeur veut se débarrasser de lui : il ne tolère pas les gens qui posent des questions, qui font preuve de sens critique, etc.

Dans certains cas de harcèlement psychologique au travail, voilà ce qui se passe : l'employeur ne peut vous congédier, alors il vous rend la vie intolérable en modifiant vos tâches, afin que vous remettiez votre démission. Si sa tactique marche, il fait d'une pierre deux coups : il se débarrasse de vous sans avoir à vous payer d'indemnité de départ.

Votre employeur doit vous rémunérer pour le travail accompli. Cela comprend le salaire, mais aussi tous les avantages ayant une valeur pécuniaire : les vacances et les congés fériés, les journées de maladies payées, le régime de retraite, etc.

L'employeur est aussi obligé de veiller à la santé et à la sécurité des travailleurs sur les lieux du travail. Ainsi, les conditions de travail ne doivent pas porter préjudice à celles-ci. Au Québec aucun employeur ne peut se soustraire à la Loi sur la santé et la sécurité du travail, qui prévoit certains droits et des recours dans les cas de manquements.

Il est à souhaiter que, sous cette loi, les conséquences physiques ou psychologiques du harcèlement psychologique au travail soient reconnues comme étant des lésions professionnelles. Quelques cas ont fait la manchette au Québec. Plus les victimes parleront et se défendront, plus le problème sera reconnu et plus elles auront de chances d'obtenir réparation. Il faudra malheureusement du temps et des exemples de cas qui gagnent leur cause, car la reconnaissance des maux et la non-responsabilité ne sont pas faciles à obtenir.

L'employeur est également tenu de protéger la dignité, l'intégrité et la vie privée du salarié. En d'autres mots, cela signifie qu'il doit vous traiter avec respect. La protection de votre vie privée implique qu'il ne peut, sans votre consentement, avoir accès à toutes les informations personnelles vous concernant ni diffuser de telles informations. La protection de votre dignité l'oblige à ne tolérer, dans votre milieu de travail, aucun comportement qui pourrait porter atteinte à votre dignité, par exemple, la discrimination et le harcèlement sexuel, et à prendre des mesures pour faire cesser ces comportements s'ils existent.

Au Québec, le salarié n'est pas seulement le travailleur qui reçoit une rémunération dans une relation employeur-employé. C'est aussi le travailleur indépendant qui, en vertu d'un contrat, suit certaines conditions qui sont :

> – vous vous engagez envers une personne à exécuter un travail précis dans un endroit et selon les méthodes et les moyens que cette personne détermine ;
> – vous vous engagez à fournir le matériel, l'équipement, les matières premières ou la marchandise choisis par cette personne, et à les utiliser selon ses directives ; et
> – vous conservez, à titre de rémunération, le montant qui reste de la somme reçue conformément au contrat, après déduction de vos frais d'exécution[7].

Il existe donc des droits et des règles déjà définis en fonction de votre situation en tant que travailleur. Si vous soupçonnez être victime de harcèlement au travail, il est bon de les connaître et de déterminer en quoi ils sont touchés.

Les droits fondamentaux du travailleur

L'histoire nous révèle que certains droits n'ont été acquis qu'après des luttes farouches. Le milieu du travail n'a pas toujours considéré certains droits comme étant fondamentaux. La liste suivante recense les droits qui m'apparaissent élémentaires :

> – le droit au respect ;
> – le droit à l'égalité et à l'équité ;
> – le droit à des excuses pour des paroles blessantes, pour des gestes inadéquats ;
> – le droit d'imposer des limites quant aux attouchements physiques et verbaux ;

---

7. Hélène Ouimet, avec la collaboration de Marie-Andrée Miquelon, *Employés non syndiqués : le guide de vos droits et recours,* Montréal, Wilson et Lafleur, 1994.

– le droit à des informations reliées à son travail, à des réponses claires aux questions posées ;
– le droit à des encouragements ;
– le droit de travailler sans subir de menaces ;
– le droit à la courtoisie ;
– le droit d'éprouver des sentiments en relation avec une situation difficile ou douloureuse ;
– le droit de faire des erreurs ;
– le droit de travailler sans être harcelé ;
– le droit de travailler dans un endroit sain sur les plans physique et psychologique.

L'article 46 de la Charte des droits et libertés de la personne du Québec stipule : « Toute personne qui travaille a droit, conformément à la loi, à des conditions de travail justes et raisonnables et qui respectent sa santé, sa sécurité et son intégrité physique. »

Le harcèlement psychologique est une condition de travail injuste. Cette condition de travail injuste peut devenir déraisonnable au point de compromettre la santé de la victime. D'ailleurs, le Titre 111 montrera que le harcèlement peut être dénoncé en vertu de la Loi sur la santé et la sécurité du travail.

La Charte canadienne des droits et libertés établit les droits des Canadiens. Grâce à elle, vous avez des libertés fondamentales, des droits démocratiques, la liberté de circulation et d'établissement, des garanties juridiques, des droits à l'égalité, des droits linguistiques et des droits à l'instruction dans la langue de la minorité. Le droit à l'égalité, plus particulièrement, donne à chacun « [...] droit à la même protection et au même bénéfice de la loi, indépendamment de toute discrimination, notamment des discriminations fondées sur la race, l'origine nationale ou ethnique, la couleur, la religion, le sexe, l'âge ou les déficiences mentales ou physiques ».

Aucune des chartes ne parle spécifiquement du harcèlement psychologique, mais les deux interdisent la discrimination. La Charte des droits et libertés de la personne du Québec donne à toute personne « droit à la reconnaissance et à l'exercice, en pleine égalité, des droits et libertés de la personne, sans distinction, exclusion ou préférence fondée sur la race, la couleur, le sexe, la grossesse, l'orientation sexuelle, l'état civil, l'âge sauf dans la mesure prévue par la loi, la religion, les convictions politiques, la langue, l'origine ethnique ou nationale, la condition sociale, le handicap ou l'utilisation d'un moyen pour pallier ce handicap» (art. 10). Elle explique que la discrimination existe «lorsqu'une telle distinction, exclusion ou préférence a pour effet de détruire ou de compromettre ce droit». En vertu de cette loi, il est par ailleurs interdit de «harceler une personne en raison de l'un des motifs [énumérés ci-dessus]» (art. 10.1). En ce qui concerne le travail, elle précise que «nul ne peut exercer de discrimination dans l'embauche, l'apprentissage, la durée de la période de probation, la formation professionnelle, la promotion, la mutation, le déplacement, la mise à pied, la suspension, le renvoi ou les conditions de travail d'une personne ainsi que dans l'établissement de catégories ou de classifications d'emploi» (art. 16). Elle soutient la dignité, l'honneur et la réputation de la personne: «Toute personne a droit à la sauvegarde de sa dignité, de son honneur et de sa réputation» (art. 4). Elle stipule en outre que chacun «[…] a droit au respect de sa vie privée» (art. 5). Elle confirme également le droit de toute personne «[…] à la jouissance et à la libre disposition de ses biens, sauf dans la mesure prévue par la loi» (art. 6).

Il apparaît clair que personne n'a le droit de détruire vos biens, que ce soit au travail ou à la maison; que personne n'a le droit de porter atteinte à votre dignité, à votre honneur et à votre réputation. Lorsqu'un collègue ou un patron commence à les salir par le harcèlement, la loi doit vous protéger. Aucun employeur n'a le droit d'exercer une discrimination quand vient le temps de choisir qui va en formation, qui reçoit la promotion tant convoitée, qui sera muté, etc.

Vous avez le droit d'être respecté et de vous sentir en sécurité au travail tout autant que vous devriez l'être dans une relation de couple. Vous passez peut-être huit, dix, douze heures ou plus dans ce milieu. Vous avez le droit d'exiger qu'il soit exempt de menaces ou de styles de communication inadéquats. Si vous appartenez à une équipe, vous avez le droit d'en être membre à part entière.

Le travail et ses conséquences sur la vie personnelle

S'il est vrai que le travail peut améliorer nos conditions de vie, il est aussi vrai qu'il peut faire de notre vie un enfer. On est pris dans les embouteillages aux heures de pointe ; il faut préparer les enfants, les déposer à la garderie ou à l'école chaque matin et les reprendre le soir ; on doit préparer les repas à la hâte, et ce ne sont là que quelques facteurs de stress.

Pensons aussi à la précarité de l'emploi. La permanence à vie dans une organisation est de plus en plus rare. La proportion des emplois précaires augmente sans cesse. La sécurité financière n'est plus une réalité pour tous.

N'oublions pas non plus la compétition. Le milieu de travail est de plus en plus compétitif. Cela accroît le stress. De plus, il ne suffit plus d'accomplir efficacement des tâches précises, nous devons maintenir, par la formation continue, nos compétences, en acquérir de nouvelles et être à l'affût des changements dans notre domaine.

Évidemment, le harcèlement professionnel empoisonne la vie de la victime à son travail, mais il a aussi des effets directs sur sa vie personnelle. Tout autant que le terrorisme, le harcèlement psychologique mène à la terreur. L'estime de soi de la victime peut être complètement détruite. La victime en vient à croire son bourreau et à penser qu'elle ne vaut rien. Si elle n'a aucun soutien ou est déjà fragile pour quelque raison que ce soit, le harcèlement peut même conduire au suicide. L'endroit où la victime travaille peut tout autant être détruit, en ce sens que la victime peut se voir chasser de son lieu habituel de travail et placer dans un autre endroit, plus petit, plus sombre, etc.

« En raison du harcèlement que je subis, je souffre d'insomnie et mon dos me fait continuellement mal. J'ai des migraines et des nausées. Je n'arrive plus à laisser ça au bureau et à ne plus y penser, le soir. C'est horrible à vivre. Je n'ai plus de qualité de vie. L'atmosphère à la maison est tendue. Mon mari ne veut plus entendre mes problèmes. Les enfants, deux adolescents, auraient besoin de mon soutien, mais je me sens incapable de leur donner. Je ne sais plus quoi faire. Je me sens perdue, confuse, prisonnière de cette situation, prise dans un étau. »

CHAPITRE 3

Qu'est-ce que le harcèlement psychologique au travail ?

Le harcèlement, en général, est tout comportement qui porte atteinte au droit à la dignité, à l'honneur et à la réputation d'une personne, dans le cadre du travail. Le harcèlement psychologique est cette forme de harcèlement qui utilise une panoplie d'actes, de paroles et de gestes qui minent d'abord le psychisme d'un individu et, en conséquence, son intégrité physique, émotionnelle et psychologique. Il est immoral de par sa violence et son intentionnalité car intentionnalité il y a, consciente ou inconsciente. Il a été dénoncé dans le cadre du travail parce qu'il existe et qu'il doit être éliminé.

Lorsqu'on parle de harcèlement, on pense tout de suite au harcèlement sexuel. Le harcèlement psychologique au travail ou encore vous pourriez entendre le « *mobbing ou bullying* », a cela de différent du harcèlement sexuel qu'il ne connaît pas de limites et peut tous nous atteindre, sans distinction. Contrairement au harcèlement sexuel qui se limite au domaine du sexe et qui, sans éliminer les hommes, affecte surtout les femmes. Toutefois, c'est un harcèlement qui se passe spécifiquement dans le contexte de travail. C'est un harcèlement qui est du domaine du moral, car il atteint la dignité et l'intégrité de l'individu dans son identité. Puisque nous avons vu que le travail porte une place d'importance dans l'identité de l'individu, une atteinte déloyale à notre travail est néfaste. L'humiliation subite est un point capital. Les conséquences et les effets négatifs de ce harcèlement portent la victime à vivre dans la honte ou, au minimum, à combattre la honte même si elle sait intuitivement ou cognitivement qu'elle ne devrait pas la sentir.

Mettre des normes à l'identification et au diagnostic, mais restreint la découverte de situations troublantes. Tout comme les fessées quotidiennes, les morsures, et autres violences physiques mineures portent atteinte à l'estime de soi d'une personne, le viol vécu une seule fois constitue une violence très importante.

Une personne qui se trouve soudainement isolée de son équipe de travail, à qui on enlève ses outils de travail et que l'on déplace dans un environnement minimal, avec un surcroît de menaces sur sa personne, pourrait subir une violence subite et comparable en termes de conséquences sur son intégrité physique et psychologique à celle qui subit des brimades tous les jours pendant six mois. Surtout si cet isolement se prolonge et que les menaces la portent à croire qu'elles peuvent être mises en action.

Les comportements de l'agresseur se manifestent d'une manière systématique dans un milieu de travail. Ils cherchent essentiellement à discréditer la victime. Leur but est de couper toute communication entre la victime et son environnement. Par exemple, imaginez une victime forcée de laisser son bureau à quelqu'un d'autre. On lui donne un petit recoin, éloignée de son équipe de travail et de ses collègues et on réduit les tâches qu'elle a à faire. On lui dit d'organiser une conférence pour laquelle elle n'a aucun sujet précis. On lui donne un projet qui ne s'accomplira jamais, etc. Toutes sortes de tâches qui n'ont aucun sens mais qui, au bout du compte, donnent une excuse au fait qu'on la sépare de son lieu de travail et de ses collègues. En réalité, la victime y reconnaît un but caché. Je vous demande : comment est la communication avec son environnement d'appartenance de travail dans de telles conditions ? La victime se sent-elle faire partie d'une équipe ? Se sent-elle utile à quelque chose ? A-t-elle l'impression que quelque chose est louche ? Qu'on lui enlève ses responsabilités ? Éventuellement, ce type de situation compromet la situation dans laquelle la victime se trouve et diminue sa crédibilité.

C'est donc lentement, mais systématiquement, que les communications entre la victime et son milieu de travail diminuent ou s'entremêlent de piques ou de brimades ayant pour effet de dégrader celle-ci. L'agresseur ou le groupe d'agresseurs peuvent continuer ce petit manège longtemps si la victime ne porte pas plainte et supporte le tout. Lorsque le harcèlement est composé de brimades seulement, c'est un peu comme lorsque les enfants se moquent d'un enfant en particulier dans le milieu scolaire, en raison de sa grosseur, sa grandeur, sa couleur de peau, etc., sauf qu'ici la victime est adulte et occupe un poste particulier avec des tâches plus ou moins définies et participe au travail dans son domaine. Une autre différence de ce que l'on connaît tous des comportements des enfants est qu'à un moment ou à un autre la communication n'est pas seulement composée de brimades et de piques mais diminue systématiquement. Plus tard, on ignore la victime, on l'isole au sens figuré ou au sens physique même du groupe de travail ! Cela a pour effet que les autres collègues tiennent volontairement leur distance, soit parce qu'ils participent à l'agression, soit par peur d'être la prochaine victime ou ne comprenant pas ce qui se passe, et certaines informations nécessaires à un travail bien fait ne sont pas communiquées au bouc émissaire. Des pièges peuvent être même posés pour faire en sorte que la victime semble faire des erreurs. Erreurs qui sont étrangement réparées au moment le plus propice afin que cela n'engendre pas une deuxième victime, extérieure à tout ce manège, et que l'effet ainsi présenté est l'assertion du ou des "sauveurs" d'une situation, augmentant ainsi leur crédibilité. La victime devient alors une proie de plus en plus facile et peut commencer à faire de *vraies* erreurs. Voyons l'exemple suivant d'une victime qui était employée dans une entreprise depuis une dizaine d'années.

> Mon patron et moi avions souvent de petits conflits. Ils portaient souvent sur des articles de ma convention collective et mes droits. C'est qu'il essayait souvent de nous faire travailler plus longtemps, plus d'heures, sans obtenir du surtemps, il nous refusait les absences médicales, etc. Je crois qu'il ne m'aimait pas tellement parce que je ne lui étais pas soumis. J'exigeais que mes droits soient respectés mais

certains de mes collègues n'en faisaient pas autant. Nos relations étaient donc souvent tendues, mais mon employeur ne pouvait absolument rien me reprocher : j'étais assidu, je tenais mes responsabilités et remplissais mes tâches toujours dans les échéances et avec rigueur.

Malheureusement, j'ai été forcé de prendre congé pour des raisons médicales. Mon patron, fidèle à lui-même, essaya de m'intimider en me disant que je ne pouvais pas prendre un congé maladie pour les raisons que mon médecin avait écrites. Il osait dire qu'il avait un droit de regard et que si je ne revenais pas travailler le lendemain, qu'il me licenciait pour indiscipline ! Bien entendu, je me suis défendu et je l'ai averti que je porterais plainte s'il faisait cela. Il était extrêmement en colère de ma résistance.

Pendant ce congé maladie qui se prolongea sur plusieurs mois, mon patron en profita pour faire courir toutes sortes de rumeurs à mon sujet.

Ses propos m'ont valu l'hostilité de mes collègues. Certains y ont vu une occasion d'obtenir mon poste. D'autres qui ne voulaient pas se positionner m'ont complètement ignoré.

Lorsque je suis retourné à mon poste, mon patron a continué à nourrir des propos malveillants envers moi. J'avais besoin d'une formation sur un nouvel équipement qui avait été acheté pendant mon absence mais mon patron me la refusait sous prétexte que je pouvais retomber malade. Certains de mes collègues, au lieu de m'enseigner le fonctionnement d'une façon appropriée, me donnaient des instructions au compte-gouttes. De plus, je constatais qu'elles étaient parfois fausses ! Je finissais par faire des erreurs qui avaient des conséquences sur le produit et mon patron était le premier à profiter de l'occasion pour me faire des reproches.

Au début, la personne visée essaie de ne pas se formaliser de ce qui se passe et ne s'attarde pas à ces petits actes anodins qui se répètent. Avec le temps, toutefois, elle est déconsidérée et perd sa valeur d'être humain participant au travail à part entière. Les brimades de toutes sortes affaiblissent l'assurance de la victime. Elle vit alors énormément de stress au travail, qui se répercute de diverses manières sur sa santé physique et mentale. Plusieurs symptômes apparaissent, que, malheureusement, la victime elle-même et les médecins ont souvent tendance à associer au stress : anxiété, nausées, fatigue, migraines, troubles digestifs et du sommeil, maux de dos, en plus de troubles émotifs dont je parlerai plus loin. Elle se sent humiliée et impuissante. Elle essaie parfois d'en parler à une personne de confiance, mais, étant donné que ces événements peuvent être bien organisés, celle-ci a de la difficulté à la croire. C'est donc ainsi que la victime se retrouve dans les bureaux des médecins généralistes, psychologues, psychiatres ou autres spécialistes, essayant de régler un problème qu'elle ne comprend souvent pas et dont elle se rend responsable.

Dans *Oser travailler heureux,* Jacques Salomé et Christian Potié décrivent ce qu'ils appellent le *terrorisme relationnel* de la relation «Klaxon» (tu, tu, tu…) dans laquelle la communication est remplie de blâmes et de culpabilisations[8]. Ils font clairement référence au harcèlement moral au travail. Ils recensent les comportements antirelationnels et en donnent les caractéristiques. Parmi ces comportements, mentionnons : le sabotage, les bagarres verbales, l'exclusion de certains et la mise au ban et à l'index des autres, les injonctions et les ordres donnés dans un contexte, avec un ton de voix, un langage inappropriés, les accès de colère démesurés, l'étiquetage, les généralisations, les jugements de valeur, les interdits, des comportements dont font état les écrits qui traitent de harcèlement psychologique.

D'une manière générale, le harcèlement psychologique, ou harcèlement moral, est une «conduite abusive (humiliations, menaces…) exercée de manière insidieuse et répétée par une personne sur une autre, pour la déstabiliser (au travail, dans le couple…)» (*Petit Robert*). Lorsque le harcèlement psychologique se produit au travail, on parle

---

8. Jacques Salomé et Christian Potié, *Oser travailler heureux,* Paris, Éditions Albin Michel, 2000.

de harcèlement psychologique au travail, de harcèlement moral au travail ou encore de harcèlement professionnel — certains emploient les termes *mobbing* ou *bullying.*

Il n'existe malheureusement pas de définition du harcèlement psychologique au travail qui soit universellement admise. Soulignons pour commencer que le phénomène se voit accorder un début de reconnaissance en 1976 aux États-Unis, avec la publication de *The Harassed Worker* par Carroll M. Brodsky. Celui-ci, toutefois, ne s'intéresse pas particulièrement à la question du harcèlement psychologique, qui est abordé comme un problème parmi d'autres en ce qui concerne les conditions de travail. C'est Heinz Leymann, psychologue du travail d'origine allemande, qui est le premier à étudier, en Suède, le phénomène du harcèlement psychologique au travail, dans les années 1980. Leymann introduit, pour désigner le harcèlement psychologique au travail, le concept de *mobbing,* du verbe anglais *to mob* qui signifie attaquer, malmener, assaillir, persécuter. Il le définit ainsi :

> [...] le harcèlement moral au travail implique une communication hostile et peu éthique dirigée systématiquement par une ou plusieurs personnes en général vers une seule personne qui est ainsi poussée dans une position impuissante et vulnérable et y est maintenue par des actes de harcèlement moral incessants. Ces actes apparaissent très fréquemment (au moins une fois par semaine) et pendant une longue période (au moins six mois). La fréquence élevée et la longue durée du comportement hostile entraînent pour la personne visée un état de détresse mentale, psychosomatique et sociale considérable[9].

Plusieurs organismes ont adopté une définition semblable, attribuée au Bureau de l'égalité de Lausanne (Suisse). Selon cette définition, le *mobbing* désigne :

---

9. Cité dans Parlement européen, Direction générale des études, *Le harcèlement moral au travail,* document de travail, Série Affaires Sociales, SOCI 108 FR, août 2001, p. 6-7. Sur Internet : <www.europarl.eu.int/workingpapers/soci/pdf/108_fr.pdf>.

[…] une situation de communication non éthique caractérisée par la répétition, sur une longue durée, de la part d'une ou de plusieurs personnes, d'agissements hostiles dirigés systématiquement contre un individu qui développe, en réaction, de graves problèmes physiques ou psychologiques. Il constitue un processus destructeur qui peut entraîner l'invalidité permanente, voire la mort de la victime. Deux conditions doivent être remplies pour que l'on puisse considérer que l'on est en présence de *mobbing* : la durée et la répétition.

L'Organisation internationale du travail (OIT) définit ainsi le harcèlement psychologique au travail : « C'est un comportement offensant qui, par des moyens vindicatifs, cruels, malicieux ou humiliants, cherche à déstabiliser un employé ou un groupe d'employés [...]. Faire constamment des remarques désobligeantes sur une personne ou la critiquer continuellement, la couper de tout contact social, faire courir des rumeurs ou répandre de fausses informations sur elle sont des actes qui relèvent du harcèlement psychologique[10]. »

Au Québec, la Loi sur les normes du travail, qui reconnaît, depuis le 1er juin 2004, le harcèlement psychologique au travail, le définit comme « une conduite vexatoire se manifestant soit par des comportements, des paroles, des actes ou des gestes répétés, qui sont hostiles ou non désirés, laquelle porte atteinte à la dignité ou à l'intégrité psychologique ou physique du salarié et qui entraîne, pour celui-ci, un milieu de travail néfaste (*Guide de sensibilisation à l'intention des employeurs et des salariés,* Commission des normes du travail du Québec) ».

Plusieurs points communs peuvent être dégagés de ces diverses définitions. Pour constituer du harcèlement psychologique, le comportement doit :
– être hostile, offensant et non désiré ;
– être répété ;

---

10. Organisation internationale du travail, *When Working Becomes Hazardous,* OIT, 1998. Sur Internet : <www.ilo.org/public/english/bureau/inf/magazine/26/violence.htm>. Traduction libre.

– être systématiquement dirigé contre une personne ;
– porter atteinte à la dignité ou à l'intégrité de la personne qui en est la cible, avoir sur elle un effet déstabilisateur.

Le critère de durée du comportement hostile n'est pas toujours retenu, comme on le constate. C'est que, ainsi que le souligne Marie-France Hirigoyen dans son livre *Malaise dans le travail,* «[…] la gravité du harcèlement ne dépend pas seulement de la durée mais aussi de la violence de l'agression[11] ». Un seul acte, par exemple une menace proférée une seule fois contre une personne, peut avoir sur celle-ci un effet dommageable persistant. Le législateur québécois a, semble-t-il, reconnu cette éventualité, puisque la loi précise qu'«une seule conduite grave peut aussi constituer du harcèlement psychologique si elle porte […] atteinte [à la dignité ou à l'intégrité psychologique ou physique du salarié] et produit un effet nocif continu pour [lui] ».

En définitive, le harcèlement psychologique au travail vise à déstabiliser la personne qui en est victime, à l'isoler et à entraver la communication entre elle et son environnement.

Ce qui n'est pas du harcèlement psychologique au travail

Il est souvent plus facile de comprendre quelque chose par ce qu'il n'est pas que par ce qu'il est. Je pense que les situations problématiques de harcèlement possèdent toutes un caractère d'intentionnalité de la part du harceleur. Toutefois, cette intentionnalité n'est pas toujours consciente, à l'effet que les gestes, les actions et les paroles qu'il fait sont source de harcèlement. Certes l'intention est parfois carrément consciente : quelqu'un dérange, quelqu'un pense autrement d'un autre, «quelqu'un a de l'influence» dans un groupe et cela diminue l'influence désirée du harceleur. L'intention consciente du harceleur pervers existe. Cependant, je pense aussi qu'il existe l'intention inconsciente. Par là, je veux dire l'individu qui, dans les faits, porte des gestes et des paroles caractéristiques du harcèle-

---

11. Marie-France Hirigoyen, *Malaise dans le travail,* Paris, La Découverte et Syros, 2001.

ment mais dont l'intention était autre. Pour comprendre l'intentionnalité, pensons aux différents buts de nature saine pour lesquels nous travaillons. La toute première raison pour laquelle la majorité des gens travaillent, mis à part les gens célèbres et très riches, est pour gagner de l'argent. Nous avons tous besoin d'argent pour vivre et c'est la première chose que le travail nous apporte. Mais au-delà de l'argent, nous travaillons pour plusieurs autres raisons : sentiment d'accomplissement, participation sociale au travail et à l'économie, rencontres sociales, etc. Un être sain, dans un milieu de travail, ne possède aucune intention malveillante. L'intentionnalité consciente ou le but du harcèlement est de détruire un individu qui se trouve dans son milieu de travail, d'enlever celui «qui dérange». Il veut soit l'éliminer, soit le détruire psychologiquement, soit élever sa propre valeur par le biais de l'abaissement de l'autre, etc. Peut-être qu'il considère sa victime trop consciencieuse par rapport à lui-même, peut-être qu'elle prend trop de place dans le groupe par son dévouement, peut-être qu'il perd de son autorité (en réalité via une mauvaise gestion mais ce n'est pas ainsi qu'il le voit). Les raisons sont multiples, mais une chose est certaine, c'est l'intention de *casser* la personne de façon psychologique, de s'en débarrasser.

L'intention inconsciente est celle où le harceleur, en réalité, ne cherche nullement à faire du harcèlement proprement dit mais à résoudre une problématique reliée au travail et le fait mal ou avec une conscience du respect de l'être humain plus ou moins faible à mes yeux. La gestion des ressources humaines qui estime faire son travail correctement en donnant des conditions de travail inacceptables à un individu spécifique afin que celui-ci quitte l'organisation à moindres coûts ne devrait pas être excusée. Ces pratiques sont en train de devenir tellement courantes que les gestionnaires en cause ont perdu le sens de l'éthique envers la personne humaine. Leurs patrons leur demandant la productivité à tout prix ainsi que la réduction des coûts, ils en oublient les conséquences de leurs actions dans les deux sens : sur l'organisation mais aussi sur les individus. Inconsciemment, ils font du harcèlement psychologique sur l'individu afin que consciemment, ils remplissent leurs obligations. C'est un manque important de créativité quant aux défis qui leur sont présentés.

Un autre exemple se retrouve dans la gestion de conflit, que ce soit entre deux collègues ou entre un collègue et son supérieur hiérarchique. L'intentionnalité consciente ici est de résoudre le conflit. Si la façon de le faire est inadéquate, outrageusement hors des limites de respect entre êtres humains, inconsciemment, un des deux individus en cause peut facilement démontrer des actions et des paroles de nature au harcèlement psychologique au travail quand en fait, consciemment, il cherche désespérément à résoudre le conflit.

Le stress est un phénomène physiologique de survie ou d'adaptation de l'organisme à une agression. Lorsque les gens ont à vivre parmi les ébats de la guerre, ils ressentent soit un stress de survie s'ils sont au combat, soit un stress d'adaptation si la violence de la guerre se passe surtout à l'écart, en campagne par exemple. Le plus souvent, ils vivent les deux types selon les situations et les moments. Le stress de survie nous permet de réagir très rapidement face à une situation menaçante. Le stress d'adaptation nous permet de réagir aux situations moins mortelles du point de vue biologique. Du point de vue psychologique, le stress demeure une réaction de mobilisation face à l'agent de stress. Cette mobilisation, au lieu d'être physique, sera psychique. Elle commande un ajustement. L'organisme suit ainsi trois phases de stress qui sont : l'alerte ou l'éveil, la résistance où un ensemble d'émotions et de symptômes physiques apparaissent et finalement, l'épuisement. Notez bien qu'un agent de stress physique, telle une coupure, déclenche un stress physique mais pas nécessairement psychologique. Par contre, un stress psychologique génère presque toujours un stress physique qui se traduit par une foule de symptômes.

Le stress au travail est composé d'un nombre de facteurs qui affectent notre santé physique et émotionnelle. Le stress peut donc être négatif, mais aussi positif. Lorsqu'on obtient un nouveau poste que l'on désirait ardemment, nous ressentons un stress positif. Nous dépensons un surcroît d'énergie à affronter les nouvelles tâches, et nous ressentons une pression de réussite, mais ce stress nous est positif en ce sens que le bonheur créé par l'obtention de l'objectif nous donne cette énergie nécessaire. Nous sommes enthousiastes et heureux. Le stress négatif a des effets semblables au harcèlement

mais les causes sont nombreuses. Elles ne se limitent pas au harcèlement psychologique. Nous avons même souvent un certain pouvoir pour améliorer notre situation. Ces agents de stress sont ces
facteurs négatifs ou positifs qui causent le stress. Ainsi, le harcèlement psychologique au travail est un agent de stress. Mais le stress
en lui-même n'est pas le harcèlement moral. Toutefois, un milieu
de travail qui comporte un nombre important de facteurs de stress
est plus à risque de développer une problématique de harcèlement.

Il faut aussi faire la distinction entre le harcèlement psychologique et les pressions que peut exercer le milieu de travail sur l'individu. Par exemple, un patron qui implante dans son entreprise une
nouvelle méthode de travail et qui exige que l'employé l'applique
peut exercer sur celui-ci une certaine pression — notamment en lui
imposant une formation, en intervenant plus souvent, en faisant des
remarques sur sa façon de procéder, etc. —, mais ce comportement
ne doit pas être assimilé à une forme de harcèlement psychologique s'il ne porte pas atteinte à la dignité ou à l'intégrité de l'employé, si la situation n'est que temporaire, le temps que l'employé
s'adapte. Un « excès » de sollicitude ne constitue pas non plus du harcèlement. Ainsi, le patron peut se rendre compte que la nouvelle
méthode de travail représente un facteur de stress important pour
cet employé et vouloir l'aider à s'y habituer ; dans la mesure où ses
interventions ne sont ni humiliantes ni hostiles, il ne s'agit pas de
harcèlement. Notons ici que l'employé en question peut ressentir
comme un stress supplémentaire les interventions fréquentes de son
patron, mais cela ne fait pas pour autant de celles-ci des manifestations de harcèlement. Par ailleurs, si le harcèlement psychologique
au travail est un facteur de stress évident, le stress lié au travail peut
avoir bien d'autres sources. Cependant, des situations de harcèlement psychologique sont plus susceptibles de se produire dans un
milieu de travail où existent un grand nombre de facteurs de stress.

De mauvaises conditions de travail ne sont pas nécessairement
des causes de harcèlement psychologique. Dans certains cas, elles sont
un outil mais ne sont pas le concept en soi. Dans d'autres cas, il existe
de mauvaises conditions de travail sans pour autant qu'il y ait existence de harcèlement. Travailler sous une mauvaise climatisation porte

atteinte à la santé physique, mais si cet environnement physique n'est pas infligé intentionnellement à un individu *particulier* afin d'atteindre un but de cruauté, de pouvoir sur lui ou de l'éloigner, nous ne sommes pas en présence de harcèlement psychologique. Par contre, toutes mauvaises conditions de travail peuvent être utilisées par un agresseur afin d'excéder le travailleur. Le milieu de travail est devenu de plus en plus exigeant et difficile. Conséquemment, les mauvaises conditions de travail ne sont pas uniquement physiques. Elles peuvent être psychologiques. Un employeur qui utilise un système de surveillance continue sur ses employés crée une condition de travail particulièrement difficile pour l'individu qui a besoin d'autonomie. Toutefois, si le système est appliqué à tous ses employés et se soumet aux diverses lois du travail, il n'y a pas lieu de penser qu'il fait du harcèlement psychologique. Le caractère d'une seule personne subissant des conditions particulièrement néfastes et sans raisons logiques peut être une façon de vérifier si on est en présence de harcèlement ou pas. De plus, l'intentionnalité est encore un élément à vérifier, à savoir si on est en présence de harcèlement ou de mauvaises conditions de travail. Le but final de l'action étant de nuire et de détruire, «d'enlever de ses pattes» la personne qui limite un contrôle, un pouvoir, une influence, d'effectuer des changements organisationnels, etc.

La discrimination n'est pas du harcèlement. La discrimination fait état d'utiliser une différence pour l'élimination, la non-représentation, la non-égalité des droits. *Toutefois, tout harcèlement peut s'effectuer sur une base discriminatoire.* Néanmoins, les deux concepts ne sont pas identiques. La discrimination est un concept en soi. Elle peut se retrouver dans d'autres contextes. Elle peut aussi se retrouver seule, sans aucune existence de harcèlement. Il se passe un acte discriminatoire, un seul. Pas d'existence de répétitions. Par contre, puisqu'elle est souvent présente dans les cas de harcèlement, on parle alors de harcèlement discriminatoire. Au Québec, depuis le 1er juin 2004, le harcèlement psychologique pour des raisons discriminatoires est punissable. Par exemple, quelqu'un n'obtient pas une promotion désirée parce qu'il est noir. Dans ce cas isolé, il a été victime de discrimination. Toutefois, lorsque cela se répète, le phénomène peut devenir différent. À chaque essai qu'il fait, son patron l'empêche et détruit ses chances de promotion. Il ne lui donne pas de bonnes références. Il le dénigre dans son dos, etc. Il fait des gestes reconnaissables de harcèlement par le biais de la discrimination. Encore faut-il prouver que la couleur de sa peau en était la raison! Toute différence, que ce soit la couleur de la peau, le sexe, la race, l'orientation sexuelle, la participation à des activités sociales, les pensées politiques ou sociales, etc., sont des sources possibles de harcèlement. Au Canada, la Charte canadienne des droits et libertés protège vos droits et libertés et garantit leur pleine reconnaissance, «indépendamment de toute discrimination, notamment des discriminations fondées sur la race, l'origine nationale ou ethnique, la couleur, la religion, le sexe, l'âge ou les déficiences mentales ou physiques» (art. 15 [1]).

La Loi canadienne sur les droits de la personne, qui vise à compléter la législation canadienne en matière de discrimination, établit clairement, à l'article 3, les «motifs de distinction illicite» et définit les actes discriminatoires. En vertu de l'article 7 de cette loi, au chapitre de l'emploi:

Constitue un acte discriminatoire, s'il est fondé sur un motif de distinction illicite, le fait, par des moyens directs ou indirects;
a) de refuser d'employer et de continuer d'employer un individu;
b) de le défavoriser en cours d'emploi.

Un employeur n'a donc aucun droit de prendre des décisions discriminatoires en ce qui concerne l'engagement, l'apprentissage offert à ses employés, la durée de la période probatoire au début d'un emploi, à propos de la formation professionnelle, en matière de promotion, de mutation, de déplacement, de mise à pied, de suspension, de renvoi et de condition de travail. Donc, si vous constatez que votre employeur donne toujours la formation professionnelle aux mêmes employés et que vous êtes continuellement exclus, que vous n'y avez jamais accès en raison de caractéristiques floues, déloyales ou à tort, vous êtes peut-être dans une situation de harcèlement discriminatoire, mais vous pouvez aussi être victime de discrimination tout court. Par contre, si certaines compétences sont nécessaires dans l'accomplissement d'une tâche et que vos collègues sont ceux qui doivent les développer, contrairement à vous, il n'y a pas présence de discrimination. Comme vous voyez, tout cela n'est pas simple. Je ne le répéterai jamais assez, chaque situation est particulière et mieux vaut se renseigner selon les caractéristiques qui constituent la vôtre.

De même, il ne faudrait pas mélanger diverses interventions de la part d'un supérieur immédiat en regard des évaluations de rendement, des conseils de formation, de décisions concernant la prise de mesures disciplinaires et pour veiller au respect des normes et politiques de l'établissement comme étant des actions et des gestes de harcèlement. L'exercice normal du droit de gestion ne constitue pas du harcèlement psychologique. Ce n'est pas parce qu'un employé est insatisfait de ce qu'il se fait dire que l'on est en présence d'une problématique de harcèlement. La loi sur les normes de travail accorde un certain nombre de motifs pour lesquels un employeur peut donner des sanctions. Les employés ne sont pas tous des anges. Les employeurs ont donc des droits pour subvenir aux problèmes que certains leur créent. C'est seulement s'ils le font d'une façon abusive ou discriminatoire que l'on peut être en lieu de soupçonner une problématique.

Par exemple, dans le cas de Skelling contre le Syndicat de la fonction publique du Québec (Unité fonctionnaires) et Gouvernement du Québec (Ministère du Revenu), D.T.E. 2004T-290 (CRT): il a été décidé:

> [...] puisque aucun reproche n'est adressé à la plaignante, ni quant à son rendement ni quant à ses attitudes, il nous apparaît clair que son *affectation* à un autre poste [...] constitue une mesure prise pour assurer le bon fonctionnement et la réalisation des objectifs de l'organisation à laquelle elle appartenait alors, ce qui correspond intégralement à la définition d'une *mesure administrative*[12]...

---

12. Commission des relations du travail, 2004QCCRT 0012, janvier 2004. Sur Internet: <www.crt.gouv.qc.ca/decisions.asp>.

L'affectation de la salariée à un autre poste, à une place d'affaires différente, ne constitue pas une mesure de représailles. Aucun reproche n'est adressé à la plaignante, ni quant à son rendement ni quant à ses aptitudes. Il s'agit d'une mesure prise pour assurer le bon fonctionnement et la réalisation des objectifs de l'organisation, ce qui correspond intégralement à la définition d'une « mesure administrative [13] ».

L'employeur a le droit de contrôler les tâches des employés, de vérifier son rendement par des suivis serrés, de demander pourquoi son employé est en retard, de donner des avertissements, etc. Toutefois, si cela est fait avec plus de zèle envers un employé qu'un autre et qu'il n'y a aucune raison relative à ce zèle, ou que cette raison est irraisonnable, il pourrait y avoir signe de harcèlement. De même, si le changement de poste dans le cas de diligence précédent s'était fait dans des conditions dégradantes et vexatoires pour l'individu, on aurait pu assister à un jugement différent. Cela dépend de l'acceptabilité des mesures prises par l'employeur. Est-ce que ses gestes sont raisonnables ou dépassent un seuil de tolérance d'une personne raisonnable ? C'est la question que vous devez vous poser afin de vérifier si ce que l'on vous impose est sensé. Vérifiez auprès de votre syndicat, d'un ami ou d'un collègue de confiance si votre employeur vous impose des tâches douteuses. Vérifiez votre conduite et votre rendement de performance. Soyez honnête car faire une plainte pour des raisons de vengeance ou simplement abusive pourrait être puni.

Le harcèlement n'est pas un manque de politesse ou de civisme social. Une agression verbale unique, engendrée par un conflit, n'est pas du harcèlement. Cependant, si cette agression est précédée ou suivie de nombreuses autres agressions, on pourrait être en présence d'un harcèlement. Encore, nous devons détecter l'intentionnalité consciente ou inconsciente de nuire ou de bénéficier personnellement, un conflit mal géré, une pratique inacceptable, etc. Il peut y avoir violence dans le ton et le choix de mots ainsi que les gestes

---

13. Commission des normes du travail. Sur Internet : <www.cnt.gouv.qc.ca>.

utilisés, mais le harcèlement sera prouvé tout dépendant de l'intentionnalité de nuire et de détruire, de la répétition et de la progression des actes et paroles.

Certaines personnes nous empoisonnent la vie, dans notre existence personnelle et au travail. Même si on finit par considérer que ces personnes désagréables nous harcèlent au travail, en raison du fait que l'on estime qu'elles affectent notre productivité, cela ne constitue pas du harcèlement au travail tel que décrit dans les propos de ce livre. Il faut faire très attention car ces personnes toxiques ont des effets sur leur entourage qui ressemblent beaucoup au harcèlement. Tout comme lui, ces gens toxiques peuvent causer des symptômes émotionnels, comportementaux, physiques et psychologiques. Cependant, une différence consiste dans le fait qu'il est fort probable qu'ils ne se concentrent pas sur une seule victime à la fois. Le comportement nocif se déclare avec plusieurs autres personnes. Le plus souvent, c'est la jalousie et/ou l'envie envers votre réussite qui motive leur hostilité envers vous. Une autre différence est que cela se termine rapidement, après que sa fureur est passée.

Par contre, il y a aussi les gens toxiques qui n'ont aucune intention de détruire. Ils ne se rendent même pas compte du dommage qu'ils causent. Et lorsqu'ils s'en rendent compte, ils n'arrivent pas à se changer. Ils sont toxiques pour tous les gens qui sont dans leur entourage. Ils sont toxiques de par leur personnalité et leurs comportements, mais non pas en raison d'une intentionnalité de détruire pour des fins personnelles. Pensez à la commère (homme ou femme) du milieu de travail. Toutes les fausses rumeurs que cette personne peut divulguer ne sont pas sans effets nocifs. Elle cause du tort à la personne victime du commérage en racontant des confidences ou de fausses vérités. Cet individu a des effets nocifs sur la productivité en général. Pensez aussi au moulin à paroles. Il ne cesse de venir dans votre bureau et vous fait dépenser un temps fou en inutilités. Il n'entretient aucune conversation réciproque et finalement, vous avez toujours l'impression d'avoir simplement fait le psychologue. Ces individus ont des effets nocifs sur la productivité en général.

Il y a aussi l'individu qui dénigre tout le monde dans le bureau. Il ne voit que le négatif dans toutes les situations et est entièrement pessimiste envers l'avenir et les nouveaux projets. L'exploiteur, l'hypocrite, le menteur, le compétiteur, le pugiliste et encore d'autres, sont autant de personnalités où l'amplitude du ou des défauts ont une emprise sur les individus d'une organisation et nous empoisonnent le milieu de travail. Le monde des adultes regorge de ces personnalités et c'est l'une des raisons pour lesquelles les employeurs essaient de vous connaître le mieux possible avant de vous engager, car ils savent très bien que ces gens causent du dommage. Cependant ces gens ne font pas du harcèlement. Ils vous dérangent par leur présence. Toutefois, ils ne vous harcèlent pas selon la description du harcèlement psychologique au travail. Ce sont des caractéristiques de leur personnalité, qui constituent des défauts en milieu de travail et ils se présentent ainsi avec tout un chacun, pas seulement avec une seule et même personne dans une intention de destruction bien précise.

Le harcèlement n'est pas non plus un problème de climat de travail malsain ressenti par tous. Le harcèlement crée un climat malsain mais il n'est pas le climat. Un climat malsain est composé de plusieurs autres composantes. Même chose pour les conflits. Ils sont créés par plusieurs raisons, entre autres les désaccords sur des questions de politique ou d'éthique, les rivalités ou les positions de prestige. Le harcèlement peut faire état ou être un résultat de ces rivalités ou de ces difficultés résultant de positions de prestige reconnues ou désirées par différents membres d'une équipe. C'est pourquoi on voit parfois du harcèlement non seulement de la part d'un individu par rapport à un autre mais d'un groupe d'individu envers une seule personne. Il y a alors des conflits d'équipe où le harcèlement est une arme utilisée. Par exemple, lorsqu'une division se produit dans une équipe en raison du prestige de deux acteurs principaux, scindant ainsi l'équipe en deux sous-équipes avec des chefs rivaux. Il est possible qu'une équipe, ainsi que son chef d'ailleurs, utilise des moyens de harcèlement envers le chef de l'autre équipe afin de le faire démissionner. Il existe donc, dans cet exemple, des conflits d'équipes, un climat de travail malsain et du harcèlement de la part d'une équipe envers le chef de l'autre équipe.

« Mes difficultés ont commencé suite à un conflit avec ma hiérarchie directe. Je voulais donner une amende à l'industrie pour infraction et mon patron ne voulait pas. Il disait que la compagnie en question était en difficulté financière. L'infraction était importante et je ne pouvais pas renoncer à mon éthique professionnelle. J'ai donc donné mon amende malgré la différence d'opinion de mon patron. Ce conflit a été le point de départ de plusieurs ennuis par la suite : brimades, isolement, diminution de mes responsabilités, etc. »

Les conflits sont choses courantes dans les milieux de travail. Il est normal que des conflits surviennent. S'ils font l'objet d'une saine gestion et d'interactions professionnelles, les conflits peuvent permettre de bonnes choses. Elles mettent au défi la permanence des idées et des pensées parfois stagnantes. Elles clarifient les responsabilités et les rôles. Par contre, il suffit d'une mauvaise gestion, d'une communication malhabile pour que le conflit dégénère. Les conflits sont des facteurs de risque de développement d'une situation de harcèlement mais les conflits en soi, ne sont pas du harcèlement psychologique.

Qui est l'agresseur ?

L'agresseur agit seul ou en groupe. Il n'a pas de sexe spécifique, de race, de rang social ou autre. Il peut être n'importe qui faisant partie de l'organisation : ce peut être un employé ou un groupe d'employés envers un autre employé ou envers un supérieur hiérarchique, ou encore un supérieur hiérarchique envers un employé. Il peut même être extérieur à l'organisation de travail. Dans ce cas, ce peut être un client, un usager de certains services ou donnant des services comme le fournisseur ou le livreur ou même un visiteur occasionnel mais de façon répétée, comme les parents des enfants dans le milieu scolaire.

Le harceleur est souvent quelqu'un qui gagne la confiance de sa victime. Il est souvent excellent manipulateur. Il réussit facilement à ce que sa victime porte le blâme de ses gestes. S'il est pervers, il agit dans le secret. Il met en place des circonstances où les apparences dissimulent la réalité ou la vérité. Avec sa victime, il utilise des modes de communication destructeurs. Ce sont des demi-vérités, des propos à double sens, des menaces, des intimidations, des insultes ou carrément de l'agressivité. Sa motivation peut être de toutes sortes : l'ambition personnelle, le besoin de maintenir son estime de soi, l'élimination d'un compétiteur, la consolidation du pouvoir, le besoin de cacher une incompétence ou une erreur, les représailles à la suite d'une promotion ou le simple fait de penser différemment sur un sujet quelconque !

Dans le film *Le dernier château* avec Robert Redford, on voit bien la manipulation et le harcèlement effectués par le directeur de prison sur les prisonniers et même sur ses fidèles soldats. Ce film démontre bien le harcèlement psychologique ainsi que physique imposé à plusieurs. La perversité du directeur est facilement visible. Il est aussi intéressant de se rappeler que son attitude a changé complètement dès le moment où Robert Redford, incarnant un général reconnu, fait une réflexion qui est contraire à la pensée du directeur. Celui-ci n'aime pas la façon de penser du général. De cette seule différence d'opinion, sur un seul sujet, débute le harcèlement. Toutefois, il est à noter que le milieu n'en est pas un de travail, tel que défini dans les normes sociales générales.

Un autre exemple se retrouve dans le roman *Meurtre au carnaval*[14] de Tami Hoag. C'est une histoire de meurtres où une policière vit de l'isolement et du harcèlement à son travail parce qu'elle a osé dénoncer les actions illégales de l'un de ses collègues.

L'agresseur n'est pas nécessairement le patron ou un dirigeant. Il peut tout autant être un collègue. Dans certains milieux, le harcèlement par les collègues est même plus fréquent. Dans d'autres, c'est le harcèlement par le patron qui domine. Des recherches sont nécessaires pour mieux comprendre. Par contre, lorsque le harcèlement est causé par un ou des collègues, le patron est parfois impliqué. Malheureusement, il n'est pas rare qu'il ignore le phénomène naissant dans son groupe de travail, même si la victime se plaint à celui-ci. Il préfère l'inaction et le silence. Parfois, il dénie la validité de la plainte de la victime. D'ailleurs, il peut facilement étouffer les choses au lieu

---

14. Tami Hoag, *Meurtre au carnaval*, Paris, Le Grand Livre du Mois, 1998.

de réagir convenablement. C'est que les problèmes sont rarement les joies du patron. Les conflits paraissent mal aux yeux de ses supérieurs. Au lieu d'y voir une occasion de réévaluer ses habiletés de gestionnaire, il préfère considérer que la problématique est insignifiante et ne mérite pas son attention ou que «les choses s'arrangeront d'elles-mêmes». La plupart du temps, le patron préfère garder sous silence toute difficulté dans son service afin de conserver sa position ainsi que l'image du dirigeant parfait. Il croit fermement que cela donnerait une mauvaise image de ses capacités. D'autres fois, il profite de la situation, croyant mieux régner en divisant.

«L'arrivée d'un nouveau notaire dans le cabinet pour lequel je travaillais depuis 10 ans a été le début de mon enfer. J'ai subi des humiliations, des refus absolus de communication et aussi de documents, des notes agressives et des insultes. Cette personne a pu exercer ses méfaits sans réaction de mon employeur qui en était témoin.»

Un mot de précaution: il faut distinguer le patron difficile du patron harceleur. Une plainte de harcèlement concernant le patron ne doit pas être un essai masqué de collusion ou de conspiration par un ou des employés. Même chose entre employés d'ailleurs. Toutefois certains patrons ou employés ne sont pas des personnes faciles avec qui travailler ou pour qui travailler. Nombreux sont les patrons qui se soucient très peu de satisfaire leurs employés. Ils n'ont pas tous des connaissances de gestion et encore moins en psychologie et communication interpersonnelle. De ce fait, il y a donc des mauvais patrons, carrément incompétents ou ceux qui ne soutiennent jamais leurs employés, ceux qui cherchent à tout contrôler et qui ne lâchent pas leurs subalternes, ceux qui croient avoir toujours raison, ceux qui utilisent l'intimidation afin d'obtenir ce qu'ils veulent et ainsi de suite tout comme il y a les employés indésirables et nocifs pour l'organisation. Néanmoins, il y a des patrons qui nous font rager sauf que cela ne fait pas d'eux des patrons coupables de harcèlement. Il est préférable de ne pas tout mettre dans le même panier. Cependant, en raison du pouvoir lié à leur position, il est primordial de bien les identifier, à savoir si nous sommes en présence d'un harceleur ou d'un mauvais patron, car les problèmes reliés au patron harceleur complexifient la situation. Entre autres, il a un pouvoir d'influencer votre carrière. Ce n'est pas peu.

Si votre harceleur est effectivement le patron, on peut spécifier que c'est du harcèlement psychologique hiérarchique. Le patron utilise le pouvoir attribué par la hiérarchie pour des fins personnelles. Par exemple, voici un type des situations où un supérieur hiérarchique utilise son pouvoir pour assouvir des besoins personnels. Cette technique est décrite dans le livre *Le harcèlement psychologique* de Daniel et Kathleen Rhodes. Les auteurs parlent d'une technique qu'ils appellent « l'engorgement[15] ». Un individu monte dans les échelons hiérarchiques. Il devient donc patron à un certain niveau. Là où ce niveau est un carrefour stratégique par où tout doit passer, il s'amuse à harceler les employés sous lui. Il se montre très sélectif de ses candidats et s'assure de ne pas mettre sa position en jeu.

Cela vous dit quelque chose ? Vous avez déjà vécu quelque chose de semblable ? Le harcèlement hiérarchique a ceci de différent du harcèlement entre collègues que le harceleur possède un certain pouvoir sur le travail du subordonné. Il possède aussi une communication souvent plus directe et familière avec les cadres supérieurs de l'organisation ou le service des ressources humaines. Alors que le subordonné a recours très rarement à ces deux autres protagonistes, le patron entretient des relations permanentes avec eux. N'utilise-t-il pas le service des ressources humaines chaque fois qu'il a des offres d'emploi ? N'a-t-il pas à répondre à son patron ? Des échéances et des objectifs à couvrir ? Le patron est donc très souvent un modèle exemplaire au niveau de son travail. Il est tout « lapin » devant ces deux instances. Comment alors l'employé peut-il vraiment démontrer les faits réels ? Comment les cadres supérieurs et les ressources humaines arrivent-ils à s'avouer qu'ils ont fait erreur lors de l'engagement de ce patron ? Combien de temps cela leur prend-il pour constater la pratique des gestes pervers ? N'a-t-on pas tendance à ne pas vouloir voir ses erreurs passées ? Et n'existe-t-il pas une entente « tacite » entre cadres, selon quoi ils se

---

15. Daniel Rhodes et Kathleen Rhodes, *Le harcèlement psychologique,* Montréal, Le Jour, éditeur, 1999.

soutiennent entre eux contre l'employé subalterne? Jusqu'à quel point sont-ils prêts à vraiment regarder leur propre défaillance? Le harceleur sait manipuler. Il est expert dans l'utilisation des mots pour obtenir ses fins. Il sait parler. Il exploite les craintes, les anxiétés des uns, les désirs des autres, les rancœurs et les espoirs cachés.

Psychologiquement, l'agresseur est souvent quelqu'un qui n'a pas intégré certaines expériences de son enfance ou de l'adolescence. C'est souvent le cas mais pas toujours. Dans ces cas, ces expériences du passé l'ont laissé désemparé. Pour y faire face, il a développé un besoin de contrôle important. Il a peur et c'est la raison profonde pour laquelle il cherche le contrôle. Il trouve donc son identité dans le pouvoir, dans le fait de faire «sa marque». C'est ainsi qu'il définit sa valeur. Il ne s'accepte pas vraiment. Il ne connaît pas la paix de se savoir en pouvoir de sa vie de l'intérieur. Il est inadapté et accablé de sentiments de peur. En conséquence, il cherche continuellement à contrôler les autres et son environnement. Cela lui permet d'éviter de ressentir son impuissance et ses peurs. Il compense son complexe d'infériorité par des actes agressifs, manipulateurs et intimidants. La terreur ainsi inspirée lui donne une nouvelle assurance. Il est très fort pour ne pas reconnaître ses manipulations constantes, ses gestes agressifs et son contrôle omniprésent. Il lui faudrait se retrouver face à face avec ses émotions, et cela, il l'évite à tout prix. S'il n'y a pas de conflits importants, il peut rester au niveau des manipulations et des intimidations verbales. Mais aussitôt qu'un conflit d'une certaine ampleur fait surface, son insécurité prend le dessus et sans en avoir conscience, il devient facilement agressif. Il passe de la défense à l'offense.

Par contre, je pense qu'il existe aussi des harceleurs qui n'ont pas de problèmes psychologiques irrésolus. Je pense qu'il y a des individus dont les croyances profondes les portent à faire des gestes qu'ils trouvent justifiés justement en raison de ces croyances. Il n'est pas rare de trouver des patrons qui croient que la fin justifie les moyens. Les styles de leadership auxquels ils adhèrent et auxquels ils croient fermement leur donnent droit à certains abus. Entre l'abus de pouvoir et le harcèlement, la marge peut devenir très étroite. Par exemple, devant des difficultés financières ou organisationnelles, ils prennent des décisions et savent bien que certains individus de leur organisation en paieront le coût mais pour eux, la survie de l'entreprise ou du plus grand nombre d'employés dépasse «quelques actes sournois» pour arriver à leurs fins. Je ne dis pas que la mise à pied d'employés n'est jamais justifiée. Je dénonce la façon dont cela peut être fait et les vraies raisons pour lesquelles certaines façons de faire sont choisies. C'est dans les moyens qu'il y a abus. Je dénonce les décisions de patrons ou gestionnaires qui ne font pas preuve de créativité, de réelle résolution de problèmes ou qui font fi du respect de l'être humain, simplement sous prétexte que «le problème justifie les moyens», et ce, concernant tous les problèmes relatifs à la gestion des ressources humaines, pas seulement le licenciement. Problème de climat dans une équipe? Trouvons un responsable et éliminons-le! Problème avec un employé, à juste titre d'ailleurs, qui questionne son droit à une promotion que l'on a donnée à un «ami»? Utilisons certains moyens pervers pour lui faire comprendre qui est le patron! Problème avec l'image de l'entreprise? C'est la faute de l'employé X qui se plaint toujours! Et ainsi de suite. L'intention est d'arriver à un but précis, d'éliminer un problème ou un conflit. Le patron ou les ressources humaines, à mon avis, font preuve de manque de créativité pour résoudre les défis qu'ils ont à relever ou sinon, carrément d'incompétence. N'oublions pas qu'il arrive que le problème peut être aussi simple que le besoin de conserver le pouvoir et le contrôle.

N'oublions pas que la même explication se transfère au harcèlement entre employés. Des conflits existent entre employés. Faute de bonnes relations interpersonnelles et de compétences réelles pour la gestion de conflits, un harcèlement peut facilement se développer à partir du problème de la même façon qu'entre employé et patron ou employé et ressources humaines. L'agresseur n'est donc pas toujours un être conscient d'effectuer des gestes pervers.

D'un autre côté, je pense aussi que le harceleur peut être un narcissique. La personne aux tendances narcissiques n'aime pas se remettre en cause. Si elle est prise en défaut, elle peut faire preuve de violence. Elle a une image déformée d'elle-même. Si cette image est défiée, elle fait tout pour la défendre. Ainsi, un patron qui se sent menacé par un subalterne qui présente des compétences plus élevées que lui-même, peut lui faire extrêmement peur. Puisque la personne narcissique ne veut pas avouer son infériorité par rapport à son employé, elle se débattra avec violence. Un employé qui agit en «petit chef» se sent détrôné par la venue d'un autre employé qui, à son insu, a beaucoup de charisme.

La personne narcissique est aussi très envieuse des autres. Elle se compare continuellement et jalouse facilement ceux qui ont plus qu'elle. Guy Corneau dit dans son livre *Victime des autres, bourreau de soi-même,* que «[…] cette envie demeure au stade des pensées et des sentiments intérieurs, mais s'il survient un événement qui fait déborder le vase, voilà que fusent les remarques acerbes, les jugements négatifs et «les comparaisons désobligeantes[16]». Il explique que «si la blessure est grande, le narcissique pourrait passer aux actes. Il le fera en salissant la réputation de l'autre, en brisant son image, en l'humiliant et parfois même en le détruisant».

Pensez à un gestionnaire qui est confronté à un grief déposé par un employé et que le contenu de ce grief interroge directement les compétences de ce patron par le biais des actions que celui-ci a posées et qui sont contestées. La réalité des faits est que le patron a commis une erreur. Sauf qu'il n'aime pas voir ses erreurs et les reconnaître. Cette personne, si elle est narcissique et qu'elle refuse de revoir ses modes de gestion et de se demander honnêtement si elle a pu faire erreur, peut facilement commencer à communiquer avec agressivité envers l'employé en question, à le discréditer dans le reste de l'équipe, à l'isoler, etc., dans l'espoir de rallier les autres employés à sa cause. Ce patron a besoin de se sentir appuyé. Son erreur a mis au jour une incompétence qu'il ne veut pas s'avouer. Il fera tout pour éviter cela.

Le pire est qu'il est fort possible qu'il ne se rend même pas compte du tort qu'il cause à l'autre! Pour lui, il est en train de se défendre. Il n'a nullement conscience qu'il offense un autre être humain! Ses insinuations dans le dos de l'autre, ses remarques, il les fait toujours pour se rassurer lui-même. Sa perception est tellement

---

16. Guy Corneau, *Victime des autres, bourreau de soi-même,* Montréal, Éditions de l'Homme, 2003.

centrée sur le fait que c'est l'autre qui n'est pas correct, qu'il en oublie sa possible culpabilité.

L'assaillant peut aussi harceler pour se protéger face à certaines situations à risques. A priori, il s'approprie les peurs externes dues à son insécurité intérieure. Le chômage, les emplois à situations précaires, les réductions d'effectifs, si courantes dans les entreprises et au sein du gouvernement, la nécessité de perfectionnement continu de plus en plus exigeant, sont autant de pressions externes qui portent certains à être constamment sur leurs gardes, prêts à attaquer, afin de préserver leur position ou les chances les plus élevées de promotion. L'assaillant attaque avant d'être attaqué ou afin d'éliminer tout risque possible. Ses moyens de protection deviennent alors des munitions. Il ne se contente pas de cacher ses faiblesses, il crée des situations pour exposer celles de l'autre. Il met à profit tout geste et tout acte pouvant être interprété à son avantage. Ainsi, il se rehausse au détriment de l'autre.

Il est donc important de comprendre que malgré l'intentionnalité, l'assaillant n'est pas toujours conscient de ses comportements de harceleur. Il peut être dans le déni de l'agression. Cela est très important à comprendre. Il est si bon manipulateur qu'il se manipule lui-même afin de ne pas voir son intérieur. Il refuse ainsi de porter la responsabilité de sa personne, dans ses faiblesses et dans ses forces. Il refuse de porter sa responsabilité dans ses relations humaines. Il refuse de porter sa responsabilité sur les conséquences des actes, faits et gestes qu'il a engendrés sur quelqu'un d'autre. Lorsqu'il connaît cet intérieur, il choisit de l'ignorer. Par ambition personnelle ou toute autre raison, il manipule les autres afin qu'ils trouvent eux-mêmes des excuses à ses comportements ! Il réussit à se justifier et à paraître justifiable !

Dans le merveilleux livre de Dr Scott Peck, *Le chemin le moins fréquenté,* l'auteur dit que nous pourrions résoudre les problèmes de la vie si seulement nous acceptions de résoudre les problèmes eux-mêmes[17]. Il explique comment cette phrase semble simpliste

---

17. Scott Peck, *Le chemin le moins fréquenté,* Paris, Robert Laffont, 1987.

mais que malgré tout, hommes et femmes cherchent sans cesse à se déresponsabiliser de leurs problèmes en les faisant porter par quelqu'un d'autre. Ainsi, nous ne les résolvons pas. Alors, dans une plainte de harcèlement, comment la victime peut-elle exprimer des difficultés de relations avec un autre être humain lorsque celui-ci ne voit pas ou ne veut pas voir sa responsabilité dans celle-ci ? La responsabilité des différentes personnes peut, j'en conviens, être très minime, mais pour qu'il y ait relation humaine, il faut deux humains !

Cela rejoint la pensée voulant que nous soyons tous créateurs de nos vies. Dans toute situation, il y a responsabilité des deux côtés. C'est la division de cette responsabilité ainsi que des caractéristiques qui la composent qui peuvent être très différentes et inégales. Tel que nous le verrons, la victime peut avoir entretenu les agressions, surtout dans les débuts. Par une tendance «à une parole trop facile», à une maladresse dans ses propos, un employé peut augmenter la frustration d'un individu et ainsi augmenter ses tendances violentes. Outre le fait que la victime dans cet exemple n'est pas responsable des actions de l'individu, par l'inattention déployée dans ses relations, il porte une certaine responsabilité quant à la qualité de la relation entre lui et l'agresseur en devenir. Il faut toujours un minimum de deux personnes pour bâtir et maintenir une relation. Si la responsabilité est mal répartie, et que seul un des individus veille à créer une qualité dans la relation, celle-ci se désintègre, demeure superficielle ou pathologique (par exemple, la codépendance). Mais comprenez-moi bien : je ne suis pas en train de déculpabiliser le harceleur, ni de culpabiliser la victime. La victime demeure une victime. L'exercice permet de vérifier en quoi et comment elle porte une responsabilité. A-t-elle entretenu un rapport de forces malsain ? A-t-elle une mauvaise estime de soi et laisse-t-elle le harceleur la détruire encore plus ? La victime n'est pas responsable quant aux choix des actes et des paroles que son agresseur fait. Elle est cependant responsable des siens. De même, combien responsables sont les témoins du harcèlement quotidien sur un individu ? Ces collègues et ce patron, qui *savent* qu'un des employés est traité inadéquatement et qui se taisent ? Que font-ils de leur responsabilité sociale et humaine ?

Nous avons tous des responsabilités envers nous-mêmes et envers les autres. Nous avons la responsabilité de grandir et de devenir des adultes entiers, sociaux, portant respect et amour. C'est cette responsabilité que l'individu pervers qui harcèle pour des motivations personnelles refuse de porter. Il ne s'aime pas, ne se respecte pas et ne respecte pas les autres.

Malheureusement, il existe aussi des situations où des dirigeants donnent des indications de réduire le nombre d'effectifs au moindre coût… Rappelons-nous qu'un employé qui quitte une organisation lui-même coûte moins cher à celle-ci que celui qui est mis à pied. Il semblerait qu'il existe des experts spécifiquement payés pour faire ce type de «nettoyage» par le biais du harcèlement psychologique.

Il arrive aussi que le harcèlement existe en raison d'incompétence de la part d'un gestionnaire, d'un chef d'équipe ou de collègues. Des erreurs de gestion. De l'incompétence à outrance sur le plan des habiletés de communication et des stratégies de gestion peut escalader en harcèlement. Il est possible pour un gestionnaire ou un employé de faire des erreurs grossières sans même se rendre compte des effets de remarques désobligeantes ou de gestes inappropriés envers un collègue ou un employé. Suite à une plainte ou même à une simple discussion où la victime expose son désaccord et ses exigences de respect, le harceleur crée alors un conflit en se préoccupant surtout de son erreur qui est exposée. À ses yeux, puisqu'il n'avait pas de mauvaises intentions, c'est la victime qui interprète mal son discours ou exagère ses gestes. Il refuse de se confronter soi-même et encore moins de communiquer son désarroi de découvrir qu'il ait fait du mal à quelqu'un. Cela demande de l'humilité et cela n'est pas particulièrement le modèle de «leadership» existant dans les organisations. Son orgueil est blessé et il ressent une perte de pouvoir. Il se retranche donc dans une position de défense et le conflit se développe de plus belle. Il se sent offensé et choisit d'offenser en retour. S'il est patron, il possède un certain pouvoir qu'il peut décider d'utiliser. S'il est collègue, il peut commencer à obtenir le soutien des autres ou il augmente son discours blessant en réaction à son orgueil blessé. D'une façon ou d'une autre, un cycle est commencé. Il devient harceleur. La victime réagit pour se défendre et l'autre fait de même. Un rapport de forces s'établit où chacun, lorsqu'il est interrogé, dit ne pousser l'autre que pour retrouver sa position d'équilibre en réponse à l'attaque.

Finalement, de façon indirecte, il arrive qu'un patron soit responsable de harcèlement dans son service par sa façon d'acquérir le pouvoir et/ou le prestige dans sa gestion. Diviser pour régner est la devise de certains. Il entretient parfois les rivalités entre collègues afin de régner plus facilement. Ou encore, il croit qu'une «saine compétition» entretient une meilleure productivité et qualité. La problématique réside dans la qualification du mot *saine*. Lorsque les collègues se méfient des uns et des autres, lorsqu'ils soumettent les uns à des pièges, lorsqu'ils corrompent leur travail et recherchent les occasions pour faire tomber l'autre, cela n'est plus une «saine compétition». De plus, il y a toujours dans ces dynamiques, les «agents» du patron, les moutons qui répondent aux demandes et se font très silencieux.

Et personne ne se compte responsable…

Qui est la victime ?

Il n'y a pas de portrait type du harcelé. Le harcèlement touche n'importe qui, indifféremment de toute race, classes d'âges, état civil, de leur apparence physique, de présence ou d'absence de handicaps quelconques, de leur formation professionnelle ou scolaire, de leur fonction dans la hiérarchie du milieu, etc. Le harcelé peut être tout autant un homme ou une femme. Le harcèlement psychologique n'a pas de sexe. Cependant, les études semblent démontrer un risque plus élevé chez les femmes. La victime est monsieur et madame tout le monde, malgré que ce sont souvent des employés consciencieux, attachés à leur travail. Les victimes dépendent, d'une certaine façon, de leur harceleur. Ce sont les travailleurs dévoués, qui, de par leurs attentions, entretiennent la relation avec l'agresseur. Il peut y avoir une certaine codépendance mais pas toujours. Sans s'en apercevoir, la victime peut donc faciliter la position de l'agresseur et parfois même le sauver de situations embarrassantes. Tout dépend du niveau de codépendance. C'est peut-être la personne qui fait preuve de beaucoup de tolérance. Qui essaie de plaire à tous. Cependant, cela ne veut nullement dire que la victime ne réagit pas aux agressions et ne fait que subir en tout temps. La plupart font des tentatives de sorties qui n'aboutissent pas à des effets marqués pour déstabiliser l'agresseur.

C'est aussi la personne «différente» du groupe. Elle pense ou agit différemment. Elle ne prend pas part aux activités sociales. Elle s'habille différemment ou expose des idées qui confrontent le groupe. Et ce qui est difficile à constater pour les assaillants, c'est que ce n'est parfois pas tant cette différence que l'assurance dont cette personne fait preuve, même si celle-ci n'est pas outre mesure, de ses convictions qui les dérange. Elle remet l'agresseur face à lui-même. Elle l'oblige à la tolérance, à l'acceptation ainsi qu'à l'introspection. Si c'est une erreur de gestion ou de communication et de relation interpersonnelles, il ne veut pas voir son erreur. Si on est en présence d'un harceleur pervers, il ne veut pas voir ses difficultés psychologiques. Cela n'a rien à voir avec la qualité de son travail! Ce point est important. Le harcèlement psychologique n'a rien à voir avec la qualité du travail de la victime.

Ce peut aussi être une personne victime de son expérience et de ses qualifications de travail. Un travailleur qui est transféré dans un autre groupe, conservant son ancienneté et changeant ainsi la liste de priorité de vacances et de privilèges, dérange... Un employé extrêmement qualifié qui, sans faire état de ses habiletés, démontre des moyens plus efficaces de faire des tâches qui étaient effectuées d'une autre façon pendant très longtemps, oblige au changement et dérange. L'individu qui met en surface la paresse, le trop bien-être de certains dans leurs fonctions, en travaillant de façon plus ardue, oblige les employés précédents à vite se remettre sur pattes et peut-être même à perdre des avantages auxquels ils n'avaient pas droit.

À l'opposé, ce peut être l'employé qui ralentit le groupe. Celui dont la cadence est plus lente. Celui qui, au prix du rythme, prend le temps de faire avec qualité ou avec humanité. Car il y a les employés très performants et talentueux, qui semblent être capables de tout faire, mais il y a aussi les employés qui choisissent de faire vite, sans se préoccuper de la qualité ou des relations humaines et des employés qui choisissent de faire attention aux relations humaines même si cela les ralentit dans leur productivité. Entre les deux limites de la droite reliant la qualité et la vitesse d'exécution, il existe une panoplie de types de travailleurs. L'harmonie de l'équipe de travail, selon les tâches à effectuer, les personnalités en place, les enjeux personnels et une foule d'autres facteurs ne rendent pas la chose facile. Souvent, des forces se développent. Une « entente » se crée, implicite de la qualité et de la vitesse de travail auxquelles tous les travailleurs d'une même équipe devraient adhérer. Le membre qui en déroge, dérange.

Finalement, c'est aussi l'employé qui ose parler. Celui qui ose émettre son opinion même si celle-ci est contraire au patron ou à l'équipe. Celui qui gêne. Quelqu'un qui n'est pas docile. Celui qui oblige chacun à prendre position, par son courage à communiquer avec vérité. C'est aussi celui que l'on prénomme le dénonciateur (*whistleblower*) parce qu'il vient remettre à l'ordre certains droits illégaux. Celui qui alerte quelqu'un en dehors du cadre dans lequel il travaille à propos de pratiques frauduleuses, de corruption, des actions implicites acceptées à l'interne mais nullement approuvées dans les règles explicites. Les petits vols, le surtemps donné de façon inégale ou illégale, le surtemps qui n'est pas donné mais le devrait, les heures qui ne sont pas travaillées mais quand même payées, etc. Dans la société du travail, il n'y a pas que les moutons qui, au prix de faire partie du troupeau, bêlent comme tous les autres afin de suivre les règles implicites, qu'elles soient légales ou pas ou que c'est la seule façon d'obtenir une promotion ou même, de conserver son poste, il y a aussi ceux qui osent afficher leurs droits, leurs pensées et qui font preuve d'intégrité. Parfois, ceux-ci dérangent au point que l'on décide de s'en débarrasser. On l'humilie, on le maltraite, on le met de côté ; on cherche à le casser psychologiquement. On peut même le mettre à l'écart complètement. On s'en débarrasse physiquement. Cela peut être effectué par les responsables des ressources humaines. Ceux-ci sont manipulés par un gestionnaire qui cherche à se débarrasser de cet employé qui le met un peu trop au défi à son goût. Il peint alors aux ressources humaines une image tout à fait fausse de cet employé et obtient ainsi leur appui en plus des outils pour s'en débarrasser. Il tire les ficelles et ils ne s'en aperçoivent même pas !

Comme vous le voyez, la victime peut vraiment être de toutes sortes. Le harcèlement ne se développe pas vraiment dans la vie d'une victime mais surtout dans la vie de l'organisation. Cela fait très étrange à dire car pour la victime, il en est tout autrement. Le harcèlement est une étape affreuse de sa vie. Je ne veux pas là révéler l'importance de la non-culpabilité de la victime. Ce n'est pas parce qu'elle est de telle façon, à tel moment, à tel endroit. Le harcèlement arrive pour un million de raisons dans une organisation et dans un temps précis. La victime est une minorité, minoritaire. Elle est harcelée, se trouve dans une situation difficile à prouver et se sent extrêmement isolée. La victime est totalement victime par le fait que dans les paroles et les gestes, quelles qu'en soient les raisons et les causes, le harcèlement est inexcusable. Comme le harcèlement sexuel, comme le viol.

Quel type de relation est-ce?

Lorsque nous travaillons, nous entretenons différentes relations avec les gens que nous rencontrons. Certaines sont très courtes et font état, par exemple d'une simple négociation, d'une discussion ou d'une présentation. Pensons par exemple à une relation qui existe uniquement via un contrat d'affaires. Celle-ci est normalement courtoise et professionnelle, à moins d'une mésentente. Nous avons aussi les relations purement pratiques et renouvelées périodiquement, que nous devons entretenir pour l'accomplissement de nos tâches. Un exemple est le commerçant qui rencontre les différents distributeurs des produits qu'il vend une fois par mois. Et puis il y a les relations de tous les jours avec les gens que nous appelons nos collègues. Ces relations peuvent être de tous les types. Certaines sont parfois uniquement professionnelles alors que d'autres s'étendent à une amitié plus profonde et on voit même des relations d'amour entre collègues se développer. Certaines de ces relations sont entretenues par des activités hors travail. D'autres se limitent au cadre professionnel. Ces différents types de relation sont tous acceptables du moment où ils ne sont pas néfastes à l'une ou l'autre des personnes en cause ou au travail à faire.

Une relation harceleur-victime porte certaines caractéristiques : Daniel Rhodes, dans son livre *Le harcèlement psychologique,* en a donné une description :

1. La relation est dommageable ou destructrice pour l'un des acteurs dans celle-ci.

2. La victime est un acteur passif et involontaire de cette relation.

3. Les interactions existantes dans la relation renforcent le harceleur ou lui confèrent un plus grand pouvoir par des mécanismes incertains ou inconnus.

4. L'acte qui renforce le harceleur n'a qu'un effet transitoire et temporaire. Il doit par conséquent être répété pour que celui-ci en tire une satisfaction continue.

5. La relation est compulsive en ce sens que le harceleur reproduit sans cesse le même comportement[18].

Donc, c'est une relation qui détruit par des actes dommageables et répétés, progressifs, continus et contrôlés par un assaillant compulsif. La victime, dans cette relation, est passive et involontaire. Elle subit quelque chose.

Une vraie relation voit l'autre comme sujet et non pas comme objet. Il y a là un monde de différence. L'objet est quelque chose qui nous sert. On peut l'acheter, l'user, le transformer, le détruire, le donner, le jeter, etc. On le contrôle. Le sujet est quelqu'un que l'on respecte. On ne le manipule pas comme on le fait avec un objet.

Au travail, nos relations sont parfois mêlées de conflits. Il est normal de vivre des conflits lorsqu'il y a relation. La difficulté se trouve dans la résolution de ces conflits, dans l'absence d'acceptation, de nomination du problème et de communication réelle et vraie. Le harcèlement peut germer d'un conflit, qu'il ait été reconnu ou pas. D'autre part, même les conflits réglés peuvent être source de harcèlement. C'est qu'ils ne sont réglés qu'en superficie, que sur le plan des normes du travail. Sur le plan de l'être humain, rien n'a

---

18. Daniel Rhodes et Kathleen Rhodes, ouvr. cité.

été réglé. Les possibilités de renouvellement et de confrontation face à soi-même ne sont pas gérées.

Malheureusement, il est fréquent que le harcèlement se développe lorsqu'une personne est remise en question quant à ses modes de communications interrelationnelles, ses modes de gestion ou ses décisions. L'employé qui questionne, dérange. Notre société de travail est habituée à l'employé soumis. Pendant plusieurs générations précédentes, les employés acceptaient la soumission à la direction en échange d'un salaire et d'une sécurité d'emploi. Aujourd'hui, nous sommes plus éduqués et quant à la sécurité d'emploi… et bien, disons qu'elle n'est plus la même.

Même si plusieurs des gestionnaires disent qu'ils acceptent et veulent entendre les opinions de leurs employés, même si les nouveaux modèles de leadership appellent à la communication et à l'humanisme, l'autoritarisme est très ancré. Concrètement, la majorité des gestionnaires s'arrête à écouter leurs employés (si telle écoute même existe) sans pour autant changer quoi que ce soit à leurs décisions ou modes de pensées et gestion. Ils ne veulent pas vraiment se questionner à la lumière des différences d'opinions de leurs employés. Dans le fond, ils cherchent seulement à se conforter quant à un «semblant» d'ouverture d'esprit. Dans les situations d'insistance par un individu, s'ils n'utilisent pas les comportements harcelants, ils manipulent ou intimident jusqu'à ce que nous disions ou faisions ce qu'ils veulent.

Les mêmes schémas de relations existent entre certains groupes d'employés. Dans certaines organisations de travail, des hiérarchies entre employés sont très bien développées même si ceux-ci sont égaux. Dans ces groupes de collègues où il existe un «chef» ou une «façon de faire», la remise en question ou les façons de faire différentes ne sont pas vraiment bienvenues.

Une relation de pouvoir de l'un sur l'autre se développe dès le premier instant où la victime accepte d'écouter et de comprendre les revendications ou raisons de l'autre, dans l'intention d'une réelle communication authentique. Le problème est qu'en réalité, l'autre n'est pas engagé dans l'authenticité ; il ne veut que gagner. Il cherche à amener l'autre à son opinion. Il refuse de voir la simple possibilité qu'il n'ait pas raison.

Cette personne n'est souvent pas consciente de son besoin de gagner. Elle est habituée à persuader et surtout, à ne pas se remettre en question. Si elle est professionnellement incompétente et qu'au fond d'elle-même, elle le sait, cela peut être pire car elle a construit toute sorte de modes de communication et de relation interpersonnelles pour cacher cette incompétence, tant à elle-même qu'aux autres.

La différence vient du fait que pour l'un cela représente une victoire. Elle a force de relation. Elle vient d'établir une hiérarchie. L'un a désormais pouvoir sur l'autre. Et cette toute petite victoire, pour le « chef » (qu'il soit patron, collègue, client ou usager), constitue un premier lien qu'il continuera de construire de la même façon. Si les autres ferment les yeux sur les modes manipulateurs et intimidateurs de cette personne, il devient de plus en plus difficile pour l'employé d'émettre des opinions différentes.

Dans le harcèlement, il est donc toujours question d'une relation de pouvoir. Le harceleur pousse et la victime reçoit la poussée. Elle doit alors décider si elle l'accepte ou y répond en défense. Le niveau de harcèlement dépendra, en grande partie, de la poussée redonnée par la victime. Si elle ne répond pas, elle entretient le pouvoir du harceleur. C'est pour cela que la victime doit arrêter ce type de relation le plus tôt possible. Car le harcèlement se répète et va en croissant. Malheureusement, le fait de se défendre ne garantit pas une absence de harcèlement.

> J'ai été témoin de harcèlement psychologique sur le personnel. Je suis intervenue. Je n'étais pas d'accord avec les modes de gestion dont j'étais témoin. J'ai donné mes opinions. J'ai essayé de protéger ces gens.
>
> Toutefois, j'ai malheureusement découvert que quand on est un témoin gênant, lucide, il faut s'attendre à en payer le prix. Les patrons ont décidé « d'avoir ma peau » et m'ont fait craquer. J'ai été arrêtée en congé de longue durée pendant 15 mois. Quand j'ai repris le travail, l'un de mes harceleurs m'a envoyée dans une autre division pour gérer un projet dont je n'avais nullement les compétences. Je savais que ce projet était du suicide professionnel assuré : on faisait tout pour que la tâche

ne soit pas facile et c'était au-dessus de mes qualifications. De plus, on me donnait un budget insignifiant et aucune aide. L'échéancier était insensé. Malgré tout, j'ai énormément travaillé et terminé ce projet en temps voulu.

Le temps passe et je n'ai plus rien à faire. Je ne suis même pas située dans mon lieu de travail original, car on ne m'a pas rappelée à mon bureau. On m'ignore complètement. Je ne sais plus quoi faire.

Les agissements du harcèlement psychologique au travail

Vous qui êtes ou avez été parent, pouvez facilement vous imaginer l'enfant de 5 ans qui se pend à votre jambe, se plaignant pour obtenir un bonbon ou un jouet qui a attiré son œil lors de l'attente à la caisse. Pour mes lecteurs qui n'ont jamais eu d'enfant, essayez de vous rappeler votre propre enfance. L'enfant est là, une main tirant sur la main droite de sa mère ou son père, l'autre touchant déjà le jouet. Son ton de voix est plaignard. Il répète sans cesse : « dis oui, maman (ou papa), dis oui, je peux le prendre ce jouet ? » Il ne lâche pas. Il répète et répète sa question. Il se fait insistant. Il ne se fatigue pas de répéter, ses grands yeux ouverts et tournés vers vous, en attente d'une réponse affirmative.

Au début, il n'est pas conscient de son comportement. Il n'est qu'à l'écoute de son besoin, de son intention d'obtenir ce qu'il veut. C'est qu'il le veut ce jouet ! Puis devant l'indifférence de cette mère ou pire, sa réponse négative, il devient conscient qu'il doit changer de stratégie.

Il passe à la rancune. Il cesse soudainement de parler à sa mère. Il lui fait la moue. Il s'éloigne d'elle et ne veut absolument pas l'approcher. Cela cause des inconvénients à la mère car à si jeune âge, elle ne peut pas le laisser se promener n'importe où dans le magasin. De plus, elle ne veut pas perdre son rang dans l'attente en file. Néanmoins, elle est prise pour lui courir après et lui prendre la main fermement. Il se fait alors plus pesant. Il est possible qu'il s'asseye par terre, refusant d'avancer. Bref, il fera tout pour lui rendre la vie difficile.

Certains enfants ne s'arrêteront pas là. Ils sont très persévérants... ou l'adulte lui fait permission plus tard et il le sait. Voyant que ces comportements ne portent pas leurs fruits, il augmente les pressions. Il a un regain de vie et se met alors à crier ou à pleurer. Il s'écrie : « tu n'es pas ma mère » !, « Je ne t'aime plus » ! Si celle-ci est divorcée avec garde partagée et que le père a maintenant une nouvelle conjointe, l'enfant utilisera la présence d'une « deuxième mère » à son avantage. Il s'exclame : « Francine, elle (la conjointe du père), me le donnerait ! Elle, elle m'aime ! » Et il ajoute le coup de grâce : « C'est elle ma mère ! » L'enfant vient de lui enlever son rôle. Si cette mère est insécure dans son rôle de mère et que de plus cette Francine, consciemment ou inconsciemment, prend effectivement un rôle de deuxième mère très présent dans la vie de l'enfant, la pauvre mère se sent soudainement fragilisée.

Il arrive aussi que la mère doive s'occuper d'un autre enfant assis dans le panier. Au moindre moment d'inattention, l'enfant profitera de cet instant pour prendre le jouet tant convoité et le mettre dans le panier à son insu. Il le fera avec précaution et rapidité, les yeux rivés sur la mère, vérifiant si elle a vu le complot. De la demande verbale, il est passé à l'action. Il a passé outre la réponse négative à sa demande. Il ne lâche pas.

Si la mère l'a vu faire et qu'elle remet le jouet à sa place, alors là, il est possible qu'il fasse une vraie crise. Il se met à taper du pied, peut-être même à se jeter par terre. Il se peut que sa volonté d'obtenir ce qu'il veut aille jusqu'à donner à sa mère des coups de pied ou de poing. Ou encore, il s'empare d'un article du panier ou de l'étagère, pour le lancer avec toute la vigueur de son bras. Se faisant, il brise l'article et manque totalement de respect envers le bien d'autrui. C'est sa colère qui s'exprime, son dernier recours au pouvoir, toujours en espérant que la mère se plie à sa volonté. Il n'a qu'une seule intention : obtenir ce jouet. Il teste sa détermination. La sienne est élevée. Il fait fi du monde qui les regarde, du volume de la voix qui monte. Devant les autres personnes du magasin, il commence à mettre sa mère en mauvaise position : elle doit lever le ton pour devenir plus ferme et s'il est vraiment persistant, elle devra peut-être le punir ou le menacer de punition. Il sait que celle-ci veut éviter de passer à ces actions en plein public. Il ressent qu'elle se sent coupable de devoir devenir autoritaire. Il sait qu'il existe des normes sociales et il manipule sa mère à l'égard de celles-ci. Inévitablement il met à l'épreuve l'image sociale de la mère. Si celle-ci perd patience et punit physiquement cet enfant, elle s'expose au jugement des adultes témoins de la situation. Certains l'approuveront, d'autres seront outragés. Si au contraire, elle ne fait rien ou se soumet à la demande de l'enfant, ces mêmes adultes l'évaluent de « trop molle ». Peu importe sa position, elle est jugée, susceptible d'être condamnée. Elle le sait et l'enfant aussi. Il utilise ce pouvoir.

En fait, il ne lâchera pas tant que le comportement de la mère ne démontrera pas une réponse négative très ferme, un « interdit » définitif, une menace de punition ou carrément une mise à exécution de celle-ci. Une chose est certaine, il la poussera à la limite de sa patience et de ses énergies. Ce court épisode l'a déjà épuisée.

Ce petit exemple, est révélateur du comportement similaire au harcèlement. L'enfant qui veut le jouet à la caisse harcèle sa mère pour obtenir ce qu'il veut. Il n'écoute pas. Ses interdictions ne veulent rien dire à maintes reprises. Il s'essaie jusqu'aux limites. Il la harcèle parce qu'un premier *non* n'est pas suffisant. Il répète son comportement et continue à l'agacer avec sa demande. Il la harcèle par le fait qu'il ne lâche pas prise sur elle tant et aussi longtemps qu'elle émettra une limite définitive à sa demande. Il la harcèle par le fait qu'il ne se préoccupe que de son besoin et n'a aucune attention envers ceux de sa mère. Ce qu'elle lui indique de faire, il l'ignore. Il l'injurie, la traite de *pas fine* parce qu'elle ne lui donne pas le jouet, lui enlève momentanément son rôle de mère. Il crie et la discrédite aux yeux des autres adultes. L'enfant fait preuve de harcèlement parce qu'il *répète* des gestes répondant à des critères spécifiques. Il *augmente* l'ampleur de ses gestes et l'impact qu'ils ont conséquemment et finalement, il a une *intention* bien précise. Elle peut être *consciente,* peut-être pas. Voyons comment ce petit exemple nous explique les comportements qui définissent le harcèlement psychologique sur un autre adulte dans un milieu de travail.

Qu'est-ce que le harcèlement psychologique au travail ? Comment le reconnaître ?

Vous devez bien comprendre ce qui constitue le harcèlement psychologique au travail. Si vous déposez une plainte et que l'on procède à une enquête, les experts devront se baser sur des critères solides pour identifier s'il y avait présence ou non de harcèlement. Les choses se compliquent si vous portez plainte et que votre harceleur fait de même aussitôt qu'il en a la nouvelle. Alors pourquoi ne pas vérifier d'abord par vous-même selon les critères du découvreur du phénomène du *mobbing* : le professeur H. Leymann ? Celui-ci a décrit 45 agissements constitutifs du *mobbing*. Ils se regroupent dans cinq domaines distincts. Nous verrons chacun de ces agissements afin de bien les comprendre. Mais soyez bien objectif par rapport à votre situation. Porter plainte et s'être trompé est une chose mais porter plainte d'une façon abusive peut être lourd de conséquences.

Essayez de repérer des exemples et de les classer selon les cinq catégories du professeur Leymann. Le professeur Leymann a défini 45 agissements qui se retrouvent dans ces catégories.

Voici comment le professeur Leymann les définit :

1. Empêcher la victime de s'exprimer
2. Isoler la victime
3. Déconsidérer la victime auprès de ses collègues
4. Discréditer la victime dans son travail
5. Compromettre la santé de la victime

Rappelez-vous qu'il s'agit strictement de catégories ; ce ne sont pas les agissements proprement dits.

Agissements empêchant la victime de s'exprimer

Lorsque l'enfant dans notre exemple se met à crier, à pleurer, à se jeter par terre, il empêche sa mère de s'exprimer. Il prend toute l'attention et n'en donne aucune à sa mère. Même lorsque celle-ci lui dit d'arrêter et de laisser le jouet à sa place, il ne fait pas preuve d'écoute envers elle. Il ne fait que chercher une autre façon d'arriver à son but.

Le harceleur ne se met pas à pleurer comme l'enfant mais sans que la victime ne s'en aperçoive trop, il lui est facile de l'empêcher de s'exprimer. Il peut, par exemple, constamment l'interrompre. L'agressé peut alors penser que son interlocuteur n'a vraiment pas de civisme dans ses conversations et lui donne une chance de se réparer, puis deux, puis trois. Puis finalement, l'habitude est créée dans cette relation et l'agresseur se croit le droit de l'interrompre n'importe quand. L'autre a de la difficulté à changer la relation établie.

La victime peut aussi être carrément empêchée de s'exprimer, soit par ses collègues, soit par son supérieur, soit par l'isolation physique. Si vous n'êtes plus physiquement dans votre milieu de travail, que vous n'êtes pas invité aux réunions, que l'on ne vous transmet pas les communications internes et que l'on ne répond pas à vos appels, comment pouvez-vous exercer votre droit de parole ? Des collègues ou un patron qui critiquent constamment son travail et/ou sa vie privée, qui hurlent et l'invectivent, qui la menacent verbalement ou par écrit, sont tous des agissements brimant toute expression de la victime. Celle-ci peut même recevoir des appels téléphoniques ou des écrits électroniques ou tout autre format, complètement inadéquats ayant pour effet de la terroriser ! Lorsque, de façon répétée, le ou les agresseurs refusent tout contact, par exemple en évitant le contact visuel, en ayant des gestes de rejet, ou ignorent complètement la présence de la victime en s'adressant exclusivement et volontairement aux tiers, et ce de façon répétée, on est en présence d'un harcèlement psychologique.

Agissements visant à isoler la victime

Vous vous rappelez l'enfant qui fait la moue à sa mère ? Lorsqu'il lui tient rancune, il isole sa mère de sa relation. Il ne veut plus lui parler. Il va même plus loin : « Tu n'es plus ma mère ! » « T'es pas fine ! » « Je ne t'aime plus ! » Il lui refuse son affection. Unilatéralement, il coupe les liens.

Dans le harcèlement psychologique au travail, le ou les agresseurs arrêtent aussi de parler à la victime. On ne lui adresse absolument plus la parole et on peut même lui attribuer un poste de travail qui l'éloigne et l'isole de ses collègues. Toute communication est, peu à peu, coupée. Les communications écrites, verbales, les annonces de réunions, leurs comptes rendus, les informations relatives et même nécessaires aux tâches de travail, aux changements de politiques et de procédures, l'organisation d'activités sociales, etc., ne sont plus transmises. Par différentes façons, on peut aussi interdire aux collègues de lui adresser la parole ou fortement les influencer de sorte que cela devient interdit. Les agissements, l'absence de communications de toutes formes, font en sorte qu'on nie littéralement la présence physique de la victime.

> Le harcèlement se poursuit depuis mon épuisement professionnel. Voilà ce qui m'est arrivé : je me suis retrouvée à effectuer, en plus de mes fonctions, le travail de deux autres collègues. Résultat : je fais une dépression nerveuse me valant six mois d'arrêt maladie, suivis de trois mois de reprise de travail à mi-temps. Lorsque je reprends mon travail, mon patron ne se soucie absolument pas de moi. Aucune réintégration et aucune considération de ma personne. Il ne me parle pas. Ne me demande pas comment je vais. C'est à peine s'il me regarde ! C'est tout à fait incroyable ! C'est comme si je n'étais pas là ! Il m'a indiqué un nouveau bureau dans un petit coin, presque un placard. Il y a dessus un petit paquet de feuilles et une corbeille à papier. Il y a aussi un ordinateur mais pas de téléphone ! Il me dit que je n'ai pas besoin de recevoir d'appels, et que si je veux en faire, je n'ai qu'à me procurer un cellulaire. Il ne vient plus me voir et ne me donne aucune tâche. Me voilà réduite à jouer au solitaire à l'ordinateur ! Je suis certaine qu'il n'attend que je démissionne. Malheureusement, je ne pense pas que je pourrai tenir longtemps à me sentir si inutile.

Ou encore :

« Éloignement de mes collègues de travail, isolement dans des locaux sordides. Il y a même radiation de mon nom au sein de l'annuaire téléphonique interne ! »

Agissements visant à déconsidérer la victime auprès de ses collègues
Pour en revenir à notre métaphore, l'enfant a tellement un comportement inapproprié que la mère doit décider si elle doit le

laisser faire, lui donner ce qu'il veut, le menacer ou le punir. L'enfant profite du fait que la mère sache qu'elle s'expose au jugement des adultes qui les regardent. Elle est prise dans un étau : quoi qu'elle fasse, des adultes critiqueront la façon dont elle élève son enfant.

Dans le milieu de travail, qui n'a pas entendu des rumeurs sur un collègue ? Qui n'en a jamais répété une sans, au préalable, vérifier auprès de la personne impliquée ? Anodin et courant ? Inoffensif ? Qu'en pensez-vous ? Que dire lorsque les rumeurs sont propagées dans un objectif particulier ? Un individu qui calomnie un autre et rapporte sur lui des médisances en milieu de travail peut effectivement avoir des intentions bien précises. Ridiculiser une personne, se moquer d'une infirmité qu'elle a, imiter sa démarche, sa voix, ses gestes, sont tous des comportements inacceptables. Le professeur Leymann a même répertorié un cas où on tenta de contraindre un employé à subir un examen psychiatrique, soi-disant parce qu'il semblait souffrir de troubles mentaux. Médire d'une personne, se gausser de sa vie privée, se moquer de ses origines, de sa nationalité, sont tous des agissements ayant un effet néfaste. La victime peut être contrainte à faire un travail humiliant. On peut l'injurier dans des termes obscènes ou dégradants. La victime peut aussi être constamment contestée, remise en question dans ses décisions, ce qui montre le manque de considération que l'on a envers elle.

Imaginez une femme dans la trentaine, jolie et physiquement bien proportionnée. Elle est nouvellement divorcée. Un collègue, voulant la discréditer afin de l'éliminer de la course pour une promotion, commence à parler contre elle, à raconter des mensonges de toutes sortes. Il lui attribue des attitudes sexuelles hors normes et «piquantes» qui auraient commencé depuis son divorce. Sa preuve : il aurait soi-disant été témoin de ces actes dans un bar !

Sans pour autant conclure que tous les employés qui entendent ces rumeurs y prêtent foi, on peut concevoir qu'un doute se crée et que les relations que cette employée entretient avec les autres pourraient s'en trouver changées. Cela est suffisant pour lui créer du tort.

Agissements visant à discréditer la victime dans son travail

« Francine, elle, elle me le donnerait » ! « C'est elle, ma mère ! » C'est ainsi qu'un enfant peut tenter de discréditer sa vraie mère. Elle ne fait pas bien son travail. Elle ne prend pas la bonne décision. Francine, la conjointe du père, ferait le bon choix en lui donnant l'objet, au dire de cet enfant.

Un harceleur peut discréditer un employé en réduisant graduellement ses tâches et ses responsabilités. Ou encore, le harceleur peut carrément procéder de façon draconienne, et placer la victime dans une situation où elle n'a plus rien à faire ! Dans ce cas, non seulement on la privera de responsabilités et de toute occupation, mais on fera aussi en sorte qu'elle ne puisse pas en trouver par elle-même. On peut même le lui interdire.

Une autre version de ce petit manège est celle où l'on impose à l'employé des tâches inutiles ou absurdes, qui n'ont aucun lien avec les besoins de l'endroit et qui ne serviront à rien. Par exemple, on lui demande d'écrire un rapport sur un projet qui ne se fera jamais, parce que cela n'est pas du ressort de la compagnie. De cette façon, la victime se sent inutile et ne retire aucun sentiment d'accomplissement. Elle n'est pas dupe ; elle sait très bien que son travail ne sert à rien !

C'est la même chose si on donne à quelqu'un des tâches qui sont inférieures à ses compétences. Cela peut aller pour une journée ou deux, mais, après un certain temps, vous pouvez être sûr que la personne ne se sentira pas bien. Ces tâches inférieures peuvent être tellement non indiquées qu'elles en deviennent humiliantes. Imaginez un médecin qui aurait à nettoyer la toilette ! Impossible n'est-ce pas ? Est-ce parce que le nettoyage de toilette est un acte humiliant ? Non, c'est le travail du concierge et c'est tout à fait respectable, mais dans des circonstances où les compétences du professionnel sont tout autre, cela devient humiliant. À l'inverse, on peut faire du harcèlement en imposant continuellement des tâches nouvelles ou supérieures aux compétences de l'employé. La victime se trouve alors sans cesse dans des situations de stress ; n'étant pas qualifiée pour faire le travail, l'insécurité s'installe. Si elle ne réussit pas la tâche, on peut facilement laisser planer des doutes sur ses compétences. Une secrétaire travaillant dans un laboratoire raconte :

[Ma patronne] me traite comme son esclave et une idiote !
Elle me fait faire des choses tellement stupides, uniquement
pour se sentir supérieure ! Par exemple, elle m'appelle à son
bureau et me donne les pages à jeter à la corbeille alors que
celle-ci se trouve à ses pieds ! Elle donne des explications
longues pour des procédures simplistes telles que la façon
de poster une enveloppe. Elle m'explique où mettre le
timbre, l'adresse d'envoi et celle de retour, où poster la lettre,
à quelle heure, etc.

Différents types de harcèlement peuvent, bien sûr, être combi-
nés. On donne trop de tâches ou des types de tâches pour lesquels
l'employé n'est pas qualifié, puis on en donne qui sont trop simples. Ainsi, la personne se sent dévalorisée et ses inquiétudes reliées
à ses performances sont fort compréhensibles. En résumé, on s'organise pour vous discréditer, pour faire en sorte que vous vous
sentiez incapable. Dans l'exemple suivant, une employée s'est
retrouvée dans une situation où elle fut privée de conditions de
travail convenables :

Après divers congés (congé préventif pour grossesse, congé
parental et formation), j'ai réintégré mon emploi, où je dois
travailler sous les ordres de M. « X ». Quelle ne fut pas ma surprise de constater, à mon retour, qu'il n'y avait plus de bureau
pour moi ! J'ai dû me mettre à partager une table avec quelqu'un d'autre ou à emprunter la place d'un absent. Une fois,
j'ai dû diriger une exposition et une conférence sans avoir
reçu, contrairement aux autres, une formation d'animatrice.
Mais c'est moi qui fus désignée pour rédiger le rapport, et
ce, en utilisant le logiciel Excel que je ne connaissais pas. J'ai
donc demandé une formation, qui me fut refusée. On me
dit que j'avais toute la documentation nécessaire, que je
n'avais qu'à faire ma propre formation. Je me suis donc lan-
cée. Mais pas question de demander de l'aide à mes collègues ! Il m'était formellement interdit de les importuner…
J'ai rédigé le rapport et mon supérieur le corrigea plusieurs

fois, pour conclure, finalement, que mon travail ne valait rien ! Envahie par l'angoisse, je fus prise de vertiges, de nausées et de vomissements et je dus m'arrêter pour trois semaines. À mon retour, j'osai avouer mon désir d'avoir un bureau. J'obtins une table et une chaise, situées au bout d'un couloir, sans aucune intimité et dans une aire de circulation. Ce harcèlement continue et les choses vont de plus en plus mal.

Agissements visant à compromettre la santé de la victime

L'enfant se met à donner des coups de pied et de poing à sa mère. Il prend un objet du panier et le lance avec toute la vigueur de son bras. Il n'a aucun respect pour sa mère ni pour les biens d'autrui.

Il existe au Canada la Loi sur la santé et la sécurité au travail qui veille à la protection des travailleurs. Malgré cela, certaines victimes de harcèlement se retrouvent dans des situations où les règles de sécurité sont intentionnellement bafouées et où on utilise l'ignorance et la bonne volonté du travailleur à mauvais escient. C'est ainsi que la victime se voit contrainte à faire des travaux qui peuvent être dangereux et/ou nuisibles à sa santé. Notez que les menaces de violence physique entrent dans la catégorie des dangers au travail.

Deux collègues, un homme (nommons-le Paul) et une femme, (appelons-la Marie) expriment lors d'une réunion des opinions divergentes à propos d'une autre collègue, Françoise (nom aussi fictif). Paul dit que Françoise ne fait pas bien son travail et Marie prend la défense de celle-ci. Françoise n'est pas témoin de cet échange. Après la réunion, la conversation entre Paul et Marie continue dans le corridor. La discussion s'envenime et Paul commence à insulter Marie, lui disant que celle-ci défend Françoise du fait qu'elle soit elle-même une employée « moindre ». Non seulement elle serait inefficace au travail, paresseuse, incorrecte avec le patron du groupe, mais il lui dit également qu'elle se plaint sans cesse inutilement. Peu à peu, le ton monte. Marie défend ses opinions et continue de plaider en faveur de Françoise. Paul se met à utiliser des termes dégradants envers elle et l'injure. Il va même jusqu'à la menacer en lui disant : « Tu es chanceuse que nous ne nous trouvions pas dans une "shop". Je te retrouverais dans le stationnement et on réglerait ça. »

Selon ces propos, il réglerait leur différend en utilisant la force physique. Il est clair que cela constitue une menace. Les mots de Paul nuisent au sentiment de sécurité que Marie peut ressentir, par la suite, lorsqu'elle se retrouvera dans le terrain de stationnement ou lorsqu'elle sera de nouveau en contact avec cet individu.

Proférer des menaces envers une personne constitue une infraction au Code criminel du Canada. Il ne faut jamais oublier que les menaces peuvent se concrétiser. Les victimes de harcèlement peuvent carrément être agressées physiquement. Au début, une agression peut être, aux yeux du harceleur, un simple « avertissement ». Le harceleur, ou ses complices, utilise alors une forme d'attaque plus légère ; une menace verbale, par exemple, ou une petite poussée de l'épaule. Mais la situation peut encore s'aggraver. Le harcèlement psychologique peut alors tourner au harcèlement sexuel ou à l'agression physique. Il n'y a pas de limites.

Voici l'histoire d'une secrétaire. Le directeur embaucha une jeune femme de vingt-cinq ans temporairement. Toutefois, celle-ci était ambitieuse et plutôt libertine. Disons qu'elle affiche clairement son intention d'obtenir les faveurs du directeur. Elle devint rapidement sa petite amie. Commencent alors les remarques désobligeantes du genre : « Vous comprenez lentement, madame… » Ou encore : « Messieurs, aujourd'hui, nous travaillons avec la ménopause ! » Les injures, dès lors, devinrent quotidiennes. On essaya de changer ses horaires sans respecter sa convention collective. Les brimades redoublèrent. Ses tiroirs furent visités et vidés. Ses requêtes de congés lui furent refusées à répétition. Plusieurs fois le directeur est entré dans son bureau pour l'apostropher grossièrement. Même qu'il lui donna des coups en lui jetant des piles de paperasses, en lui donnant des coups de coude, des tapes sur l'épaule (qui n'étaient pas petites). Parfois, sa petite amie, la jeune femme de vingt-cinq ans engagée temporairement, mais dont le contrat était continuellement prolongé, se mettait de la partie.

Dans le cas précédent, le schéma verbal du harcèlement a évolué jusqu'à l'agression physique. Même son environnement de travail fut envahi, puisqu'on s'est emparé du contenu de ses tiroirs. Une intrusion semblable peut aussi se produire en dehors du lieu de travail de la personne ; on peut s'attaquer à sa voiture, sa bicyclette, sa maison, etc. Priver un employé de ses possessions, de ses désirs, de ses volontés, de ses rêves et de ses accomplissements est une autre manière de compromettre sa santé. Par exemple, si quelqu'un détruit les trophées qu'un employé expose dans son bureau, la victime ne peut pas rester indifférente. Après tout, ces prix symbolisaient la reconnaissance d'un travail bien accompli pour lequel l'individu avait mis beaucoup d'efforts. Les dégâts de ce type sont, en quelque sorte, intentionnellement occasionnés afin d'affecter la victime. De plus, il est possible que ces agressions imputent des frais supplémentaires ou d'autres problèmes de nature variée à l'employé. Imaginez que votre ordinateur, votre agenda ou votre cahier de notes soit saboté en votre absence et que vous perdiez vos fichiers, vos rendez-vous, etc. Quel travail additionnel devriez-vous faire pour récupérer toutes les informations perdues ? Et que dire si certains de ces travaux servaient à l'obtention d'une promotion ou si l'appareil contenait vos dates de rendez-vous ?

J'ai utilisé l'exemple de l'enfant qui convoite un objet au magasin pour vous illustrer la présence, dans les cas de harcèlement, des éléments suivants : 1) la répétition ; 2) la progression ; 3) une intention bien définie chez la personne qui « harcèle ». L'exemple diffère bien évidemment du harcèlement psychologique au travail. Néanmoins, le harcèlement psychologique au travail se traduit par quelques agissements similaires : ils se répètent inlassablement, il y a progression, et une intention bien précise est présente.

Toutefois, je ne suis pas d'accord avec Marie Hirigoyen lorsqu'elle dit que le harceleur est un être pervers ayant l'intention bien définie de nuire. Ceux-ci existent, mais il y a aussi des harceleurs qui ignorent qu'ils harcèlent. L'enfant de mon exemple ignore qu'il harcèle. Son intention n'est pas de détruire sa mère. Son intention est d'obtenir le jouet. J'estime qu'il y a des situations de harcèlement qui sont provoquées par des erreurs aberrantes de gestion ou de communication. Lorsque c'est le cas, l'intention de nuire n'est pas consciente. Quand les harceleurs de ce type découvrent les conséquences de leurs actes, ils en sont très désolés. Leur intention n'était pas de porter préjudices à quelqu'un en particulier. Il arrive des situations où l'objectif était plutôt de régler des problèmes ou des différends. Certaines personnes sont très peu douées dans la gestion de conflits. Elles sont si absorbées par leurs projets, tout comme l'enfant, qu'elles font complètement abstraction des besoins ou des réactions des autres.

Cependant, l'intention, la répétition et la progression des actes et des gestes demeurent des constantes. L'intention est consciente ou non. Il peut y avoir intention consciente de nuire lorsqu'il y a désir de contrôler l'autre personne et de l'amener à suivre ses désirs, intention de résoudre une réorganisation des employés à moindre coût, intention de se faire valoir au détriment de l'autre, intention d'être admiré par ses collègues ou par sa «gang», intention de maintenir le *statu quo,* etc. Il peut y avoir autant d'intentions qu'il y a d'individus commettant des actes de harcèlement.

La répétition peut être proactive ou peut constituer la réaction du harceleur face aux réponses de la victime. Dans les erreurs de gestion ou lorsqu'il s'agit de relations interpersonnelles déficientes, il est plus fréquent que la répétition vienne par réaction. Par exemple, le gestionnaire fait une erreur administrative qui lui est reprochée par l'employé qui en est victime. Ce dernier soupçonne qu'il n'a pas obtenu une promotion en raison de cette erreur. Il veut donc réparation, car il tient à cette promotion. Le gestionnaire ne veut pas avouer son erreur. Il empêche donc l'employé de s'exprimer, car cela mettrait l'erreur au jour. L'employé lui, cherche justice. Il persévère donc auprès du gestionnaire. Il veut des explications écrites. Le gestionnaire ne veut pas les donner, car il n'a pas suivi de critères bien définis comme il aurait dû. L'insistance de l'employé le dérange. Il l'isole du groupe afin d'être bien certain d'être tranquille et pour éviter qu'il n'affecte sa crédibilité auprès de l'équipe. L'employé, en retour, devient de plus en plus frustré : il n'a toujours pas eu les explications auxquelles il estime avoir droit et la promotion a maintenant été clairement annoncée et donnée.

Ainsi, la boule de neige a commencé à rouler. Le gestionnaire trouve maintenant cet employé dérangeant. Il espère que celui-ci arrêtera ses inquisitions. Il fait un choix : ou bien il devient pro-actif et il « tasse » cet employé pénible ou bien il laisse aller les choses et continue de réagir aux actions de la victime.

Dans le cas du harceleur pervers, celui-ci est proactif. Ses agissements surviennent indépendamment des actions de la victime. Le harceleur remplit un besoin psychologique bien personnel.

Pour ce qui est de la progression, les actes, les paroles et les gestes du harcèlement empirent et la victime vit un enfer. L'intention est le moteur de cette progression.

CHAPITRE 4

La victime

Conséquences psychologiques et émotionnelles

Les émotions vécues par la victime

De tels agissements de la part du harceleur ne sont pas sans créer une foule d'émotions chez la victime. La victime n'est pas toujours consciente de la construction psychique qui s'opère en elle. Certaines études démontrent que le stress ressenti par les victimes du harcèlement psychologique au travail serait comparable à celui vécu après un viol (*Quand le travail devient indécent : le harcèlement psychologique au travail,* Soares, Angelo, Montréal, Université du Québec à Montréal, 2002). La victime présente les mêmes symptômes qu'une personne en état de choc post-traumatique. Cet état de choc transforme sa personnalité. Elle peut être prise pour une personne souffrant de dépression ou de troubles obsessionnels. Elle doit donc faire un double effort pour reconnaître et communiquer objectivement les émotions qu'elle ressent lorsqu'elle consulte des professionnels de la santé afin d'être reconnue comme étant une victime de harcèlement, puisque ses symptômes peuvent facilement être confondus avec ceux d'autres maladies.

Progressivement et sournoisement, la victime se met à ressentir de la confusion, de la peur, une perte de confiance, de l'insécurité, du rejet, de l'abandon, de la culpabilité, de la colère, de l'impuissance et de l'humiliation. Elle est complètement déstabilisée. Examinons un peu quelques-unes des émotions ressenties par les victimes ; gardez cependant à l'esprit que cette liste n'est pas exhaustive.

La perte de confiance et l'humiliation

Les victimes passent à travers diverses émotions et celles-ci ont souvent des répercussions socio-affectives. Les relations que la personne entretient avec autrui sont, à son insu, influencées par les émotions qu'elle ressent. Par exemple, tout dépendant du degré de manipulation et de harcèlement dont elle est victime et de la période de temps pendant lequel celui-ci se prolonge, la personne peut souffrir d'une perte de spontanéité envers les autres dans son milieu de travail. Alors qu'elle se confiait à certains de ses collègues, maintenant elle n'ose plus. C'est ainsi que sa spontanéité est étouffée et amoindrie. La victime voit en plusieurs événements des occasions de sabotages, de pièges pour le harceleur. Ce n'est pas de la paranoïa de sa part, c'est que, puisqu'on l'isole, qu'on la blâme et/ou l'injure, la victime perd peu à peu confiance en les autres ; quels que soient les efforts qu'elle puisse faire, elle est de toute façon diminuée dans sa valeur professionnelle. L'isolement et l'abandon de ses collègues la conduisent à la méfiance. Au travail, ses relations avec autrui deviennent moins chaleureuses, car elle se tient « loin ». Cette perte de confiance peut perdurer, même lorsque le harcèlement est terminé. La victime doit elle-même travailler à regagner sa confiance en les autres.

La victime perd aussi beaucoup de la confiance qu'elle a envers elle-même. La confusion et le doute que le harceleur a semé dans sa tête viennent ébranler son estime de soi. Sans parler de l'humiliation ; puisqu'elle est souvent seule à être harcelée parmi un groupe de travail, elle en déduit qu'elle en est responsable de par sa personne ou la qualité de son travail, alors que, tel qu'on l'a vu, cela n'a absolument rien à y voir. Si le harcèlement a duré longtemps, il est fort possible qu'elle pense que tout est de sa faute. Il en résulte qu'elle se méfie des autres, afin de se protéger. Peu à peu, elle se retrouve en état d'alerte constant. Cela est très difficile à porter, très contraignant et lourd.

La colère

La colère se ressent à différentes étapes et différents types de colère peuvent être éprouvés. Au début, la victime a suffisamment de lucidité et d'objectivité psychique pour constater que sa situation est inadmissible. L'injustice ou l'absurdité des événements suscite des frustrations. Mais elle n'a pas assez d'éléments en place dans son esprit pour comprendre l'ampleur de la situation. Elle n'a pas non plus toujours les ressources pour recevoir de l'aide et ne sait pas à quelle porte frapper. De plus, les autres émotions qui sont aussi présentes, telle que l'insécurité, peuvent inciter la victime à refouler sa colère. Plus tard, à l'issue du harcèlement — après le dépôt d'une plainte, la démission ou une mutation —, celle-ci peut vivre plus ouvertement sa colère. Devant la lenteur du processus administratif ou judiciaire, devant les désaveux du coupable, et face aux sanctions données, de la colère peut s'exprimer. La victime peut aussi éprouver un certain désir de vengeance. Devant les pertes subies, qui n'aurait pas envie de rendre quelques coups ? Même lorsque ses droits sont reconnus par la justice, la victime vit de la colère pendant un certain temps après le règlement de l'affaire. Tout cela est normal. C'est ce qu'elle fait de cette émotion qui compte. Voici ce qu'une victime raconte à propos de sa situation. Prenez note que le harcèlement qu'elle a vécu s'est prolongé sur une période de quelques années et qu'après s'être battue, elle a finalement pu retourner au travail.

> Voilà le sort qui aurait été réservé à une personne plus faible ou moins déterminée. Cela me met en rage. Je considère que la démarche de l'employeur était ni plus ni moins une tentative de meurtre avec préméditation menée en toute impunité. Le tout pour gagner un peu d'argent ! Où est donc la conscience de ces gens ?

Le ton de ses dires démontre bien la colère ressentie, ainsi que les sentiments d'incompréhension et de confusion. Cette personne n'arrive pas à comprendre comment de telles personnes, ses persécuteurs, peuvent être si violentes. Elle ne peut pas non plus comprendre que l'argent puisse avoir motivé toutes les pertes qu'elle a subies.

Le choc et la confusion

Lorsque l'on prend connaissance pour la première fois des mensonges dits à notre propos, on subit un choc, surtout lorsque ces mensonges sont particulièrement terribles et portent à conséquences. On est complètement déstabilisé. On essaie de comprendre la personne qui les répand et, souvent, il n'y a rien à comprendre. On est sous le choc et la confusion. Comment cette personne peut-elle dire des choses pareilles? C'est l'obscurité. Cela dépasse l'entendement de la victime. Lorsque d'autres actes néfastes se produisent et que l'on s'aperçoit peu à peu que la personne responsable de ces gestes n'est pas telle qu'on la croyait, on est encore davantage sous le choc. Des sentiments conflictuels font surface, car la victime ne dispose pas de tous les éléments pour comprendre ce qui se passe. Par exemple, si elle est victime de pièges, il est difficile pour elle, si elle ne découvre pas le complot, de saisir la raison de ses échecs dans ses tâches. De surcroît, elle peut sentir que quelque chose cloche, sans pouvoir découvrir quoi. Éventuellement, la confusion s'installe. Est-elle coupable des actions que le harceleur lui reproche? Est-elle bien comme celui-ci la décrit? A-t-il raison? Ce conflit interne n'est résolu que lorsqu'elle prend note des différents actes et gestes et arrive à regarder la liste avec objectivité. C'est ainsi que l'on peut venir à bout du désordre dans nos idées. Sauf que ce n'est pas la majorité des victimes qui le font. Qui a l'idée ou l'habitude de prendre note d'événements se produisant au travail? Autrement, n'ayant pas de références objectives à sa portée, la victime peut commencer à douter d'elle-même. Par contre, tout en doutant, elle ressent instinctivement qu'elle est une personne et un employé convenables, contrairement à ce qui est véhiculé. Ces doubles messages, ceux du harceleur et ceux provenant de sa propre communication interne, la plongent en pleine confusion.

La peur et l'impuissance

L'insécurité prend place dans le moi de la victime. Elle peut avoir peur de perdre son emploi ou d'être rejetée. D'autres fois, elle se sent impuissante; elle ne voit pas ce qu'elle pourrait faire. Elle a tout essayé et rien ne fonctionne. Ou bien, elle n'a pas de moyens.

Elle n'est pas syndiquée, elle ne peut pas se permettre financière-
ment de perdre son emploi et elle croit que personne ne pourrait
la comprendre. Elle se pense privée de tout moyen de défense. Elle
se sent perdue. Se rebeller reviendrait à risquer son gagne-pain. Elle
accepte donc, avec grande tristesse et frustration, d'endurer des conditions de travail pitoyables et inacceptables.

Même si elle se défend et réagit à cette violence, elle peut ressentir de la peur envers l'inconnu qui est devant elle, surtout si
l'agresseur est en position de pouvoir. La peur est une émotion très
présente tout au long du processus de harcèlement ; après tout, ce
sont ses ressources financières et son espoir d'épanouissement professionnel qui sont en jeu. L'incertitude face à l'avenir pèse dans la
balance. Aussi, comme le harcèlement psychologique au travail est
un phénomène reconnu depuis peu de temps, les travailleurs n'ont
pas tous la connaissance des ressources disponibles pour les aider
et/ou pour faire valoir leurs droits. De plus, l'employeur pourrait
ne pas en savoir plus que la victime elle-même. Il se peut également que ce soit la première fois que la victime porte plainte. L'insécurité face au processus de plainte et les sentiments qui en découlent sont des facteurs qui ajoutent à la peur. L'inconnu fait peur, car
la personne n'a pas de repères. Tous ces éléments font que la victime nage dans une mare d'incertitudes et vit une peur constante,
comme on peut le constater dans le témoignage suivant :

> Depuis longtemps, je présente des troubles du sommeil et
> de la mémoire. Je suis terrorisée, inhibée par la peur. Je ne
> comprends plus ce qui m'arrive. Je suis dans un tunnel et je
> ne vois plus la sortie. Je sais maintenant que M. X. m'a volé
> mes forces, s'est nourri de ma joie de vivre. Il m'a détruite
> à petit feu, semant chez moi le doute, la peur, la perte de
> confiance et le sentiment d'incompétence et de nullité.

La tristesse et la déception

Au travail, on est heureux lorsque l'on entreprend de nouveaux projets, lorsque notre travail sert à quelqu'un ou à quelque chose. Tel
que mentionné auparavant, le travail occupe, de nos jours, beaucoup

de place dans nos vies et être privé de travail est souffrant. Il est l'une de nos priorités. Pour plusieurs, un emploi est plus que du travail, c'est une carrière. Certains font pour elle des sacrifices importants. Alors, on peut penser que lorsque cette source d'accomplissement est détruite s'installe une grande tristesse. Lorsque la victime constate que tout ce qu'elle fait est réduit en cendres, elle en ressent tristesse et déception. La solitude causée par l'éloignement, l'évitement et tous les autres gestes causés par le harcèlement créent une vive douleur affective chez la victime. Cette douleur indique un dommage profond sur le moi. La victime devient esclave. Elle a honte. Elle est à la merci de la peur qu'elle ressent, à la merci de son emploi. Elle dépend du salaire qu'il lui procure, des biens qu'elle peut s'acheter grâce à lui.

Au début, elle peut souhaiter que les choses changent et espérer qu'elle se soit trompée dans son interprétation des agissements de l'agresseur. Mais ultérieurement, au constat des faits, la déception la regagne. Des gens qu'elle croyait des amis, des collègues respectables, deviennent tranquillement indifférents à ses souffrances, s'ils n'en sont pas la cause! Les succès qu'elle avait jadis au travail ne se répètent plus ou rarement. Son espoir meurt à petit feu. Peut-être qu'elle a déjà investi des années de service dans l'institution en question et que le harcèlement a seulement commencé après un changement de patron. Elle a alors l'impression que toutes les années antérieures se trouvent effacées par cette nouvelle situation. Sa réputation et la valeur du travail qu'elle accomplit, et même celle qu'elle a déjà accompli, sont assombries. Face à ces pertes, elle ressent, à juste titre, de la douleur. Les énergies qu'elle a investies n'aboutissent à rien. Elle n'est plus qu'une marchandise offerte à prix réduit.

L'insécurité

Avec la perte de confiance, la victime perd son sentiment de sécurité dans son milieu de travail. Elle sent que sa sécurité d'emploi et que les avantages qu'elle retire de son travail sont menacés. Le harcèlement, comme nous l'avons vu, se présente sous la forme de nombreux petits gestes qui se répètent ou s'intensifient ou changent de nature, toujours dans le but de contrôler la victime. Avec le temps, qu'elle confronte ou non l'agresseur, la victime redoute de plus en plus la perte de son poste, de l'argent que ce dernier procure, de promotions, et craint l'effet qu'aura cette situation sur sa santé et sur sa jouissance de la vie. Le poison fait tranquillement son effet. L'insécurité se transforme en angoisse. Ce sont toutes des pertes importantes qui attristent la victime et affectent son état de sécurité. Son emploi devient de plus en plus une prison où elle est isolée en cellule et dans la noirceur.

Le sentiment de culpabilité

La victime se remet continuellement en question. Elle se demande ce qu'elle fait pour mériter tous ces préjudices. Elle se sent coupable de ne pas être «assez bonne». Elle met en doute son pouvoir d'action et se culpabilise par rapport à ce qui lui arrive. Si la situation dure depuis longtemps, son psychisme peut être à ce point détruit qu'elle n'a plus l'objectivité nécessaire pour se rendre compte qu'elle n'est pas responsable des gestes du harceleur.

Comme on peut le voir, les petits gestes quotidiens qui constituent le harcèlement ne sont pas sans répercussions. De ces émotions vécues par la victime se développent des symptômes physiques, d'abord légers, mais de plus en plus importants si la victime demeure longtemps sous une telle pression :

> Envahie par l'angoisse et l'anxiété, j'ai des vertiges et je dois m'arrêter de travailler, car je ne dors plus et ne mange plus. Me voici souffrant de dépression. La seule vue de mon édifice de travail me donne des nausées. Je me sens comme une condamnée à mort s'en allant à la guillotine. Je ne vois pas de porte de sortie.

Le rejet et l'abandon

La victime se sent perpétuellement rejetée et abandonnée. Puisque ses accomplissements sont constamment dénigrés, elle devient confuse et incertaine quant à sa valeur professionnelle. Le groupe de travail, consciemment ou pas, en vient à transmettre de l'indifférence, des critiques et parfois même, du mépris envers l'individu

« indésirable » qui ne fait jamais son travail comme il faut ! Son être et son travail sont mis à l'écart.

Le harceleur, de son côté, continue à alimenter le problème, ce qui vide la victime davantage. Si elle est physiquement isolée, la situation est pire, car son isolement physique devient rapidement une barrière psychique envers les différents individus. Des sentiments d'abandon et de rejet découlent de cet isolement, tel qu'illustré par l'exemple suivant :

> Je constate que j'ai été « mise au placard ». Mon poste a été modifié et je n'ai plus de contacts ni avec mes collègues ni avec les usagers. Je n'ai plus de contacts humains. Je crois que je vais craquer. Je me sens abandonnée, rejetée. Je ne peux plus supporter cela.

Les attitudes de la victime

La personne harcelée perd le goût de se présenter au travail. Sa motivation diminue énormément. La situation peut se dégrader à tel point que non seulement son état psychologique et émotionnel est affecté, mais son état physique l'est également. Sa capacité à faire face à des conditions de travail si affreuses baisse au point où elle commence à ressentir des effets physiques : nausées, maux de tête, vomissements, etc. Elle est déçue. Elle dort mal, car la seule pensée de devoir rentrer au travail le lendemain perturbe la qualité de son sommeil.

La colère peut aussi se transformer en agressivité. La victime cherche à se défendre. Elle a besoin d'agir et de réagir. Malheureusement, elle apparaît alors comme étant une personne caractérielle.

En résumé, ses attitudes professionnelles ne sont plus les mêmes. Alors qu'elle regardait auparavant son travail de façon positive, elle est devenue négative et pessimiste.

La santé mentale

Toute sa santé mentale est affectée par le harcèlement. Plus tard, elle se trouve dans une situation où elle ne parle que de cela. L'atteinte devient profonde : elle est en choc post-traumatique et présente tous les signes d'un épuisement professionnel. Du côté juridique, la difficulté est que la cause de son mal soit bien reconnue comme étant le harcèlement. Cela devient d'autant plus difficile lorsque la victime n'arrive pas à expliquer son problème auprès des professionnels de la santé.

Conséquences comportementales

Départ volontaire

La conséquence la plus fréquente du harcèlement psychologique au travail chez la victime, du point de vue comportemental et professionnel, c'est le départ de celle-ci de l'organisation de travail. Cela dépendra bien sûr des conditions d'emploi qu'elle a, de sa facilité et des possibilités qu'elle a de porter plainte, de sa confiance en le processus de plainte, du marché de l'emploi selon ses compétences, etc. On constate un roulement volontaire important des employés dans les organisations pour cause de harcèlement psychologique au travail et les employeurs réussissent de moins en moins à garder leurs employés.

Comportement destructif

La victime désemparée qui ne sait plus comment faire face au problème et qui se sent menacée peut, malheureusement, devenir elle-même destructrice. Elle ressent tellement de colère ! Elle peut subir tant de pertes qu'elle ne voit pas d'autre choix que de répondre par des coups pour se défendre. La violence engendre la violence. Même si elle porte plainte, le processus de défense est parfois long, inégal par rapport aux deux parties en cause et inadéquat. Les coûts, tant financiers que personnels, peuvent être élevés. Le harcèlement en lui-même, s'il se développe par des petits gestes, peut avoir duré longtemps. Il vient parfois un moment où le verre déborde. La victime peut devenir harceleur. Il faut faire très attention à cela ; vous devez éviter à tout prix d'avoir des comportements de ce type, car vous perdriez ainsi toute crédibilité dans votre cause.

Abus d'alcool, de drogues et toutes autres dépendances

Malheureusement, le stress engendré par le harcèlement psychologique est tellement élevé que de nombreuses victimes ont recours à des moyens qui leur sont nocifs. La victime a besoin d'évacuer les frustrations engendrées par les insinuations, les intimidations et les autres gestes ayant porté atteinte à son intégrité. L'alcool et les drogues sont malheureusement un moyen que certaines victimes utiliseront pour se sentir mieux. D'autres se tourneront vers la nourriture. Elles se verront engraisser, de par leurs abus, ou maigrir, en raison de l'anxiété et de l'angoisse. Le fait d'engraisser peut par la suite porter certaines victimes, les femmes particulièrement, à faire de la boulimie. Les fumeurs peuvent voir leur consommation de cigarettes augmenter. Ce sont là leurs façons de négocier avec le stress.

Conséquences physiques

Inévitablement, il se développe de nombreuses conséquences physiques : nausées, vomissements, perte de sommeil, boulimie, anxiété, éruptions cutanées, palpitations, maux de ventre, maux de tête, migraines, raideurs dans le dos et le cou, dépression, suicide même, etc., sans compter les effets engendrés par l'abus de substances toxiques. On ne pourrait toutes les énumérer. Il est aussi impossible de connaître la portée réelle d'un tel choc psychologique chez un individu à long terme. Certains effets peuvent se faire ressentir un peu plus tard, comme par exemple l'épuisement physique.

Conséquences sociales, professionnelles et financières

La victime, trop envahie par le problème, voit survenir de nombreux problèmes sociaux, professionnels et financiers. La situation est pire si son emploi est précaire. Un congé pour raison de maladie n'est pas toujours payé en totalité. La victime subit donc d'importantes pertes pécuniaires et rien ne dit qu'elle sera un jour compensée. Même dans le cas où elle a une bonne assurance collective et qu'elle est couverte, non seulement il est rare d'être payé à cent pour cent après avoir épuisé les congés de maladie en banque, mais, de plus, l'utilisation de sa banque de congés de maladie peut avoir des conséquences futures, si elle devait avoir à prendre un autre congé.

Du côté professionnel, ses relations, même à l'extérieur du cercle immédiat de l'entreprise, peuvent être affectées. Les rumeurs circulent vite. Les faits sont déformés. Les gens sont prompts à porter des jugements de toutes sortes. La chose se complique lorsque certains employés, les opportunistes, profitent de la situation ou que le harceleur dit se voir harceler lui-même. De plus, les gens présument souvent de la culpabilité de la victime ; ils pensent d'emblée qu'elle a dû faire quelque chose pour que cela lui arrive.

Parce qu'elle se sent mal physiquement, émotionnellement et psychologiquement, la victime diminue ses relations sociales ou ce sont ses amis qui réduisent la fréquence des contacts. Parfois les amis sont fatigués d'entendre toujours la même rengaine ; d'autres fois, ils ne savent plus comment aider. Si le harcèlement se passe dans une petite entreprise familiale, la situation peut devenir extrêmement complexe et avoir des conséquences à l'intérieur même de la famille. Et même lorsque la victime ne travaille pas au sein d'une entreprise familiale, celle-ci peut constater des séquelles dans ses relations avec ses proches ; en effet, les changements dans sa personnalité (son émotivité, son anxiété, etc.) peuvent porter à conséquence dans ses relations avec autrui.

Que faire ?

Que faire devant de telles situations ? Comment arrêter le processus ? Quels moyens avez-vous pour vous défendre, pour reprendre votre place, votre rôle professionnel ? Quelles ressources avez-vous pour faire valoir vos droits ? Existe-t-il des moyens pour aider les victimes dans ces situations ? Que va-t-il vous arriver ? Ces frictions avec votre employeur ou vos collègues peuvent-elles vous faire perdre votre emploi, votre poste ou une promotion ? Y a-t-il des endroits, des gens, des instances qui peuvent vous aider ? Devriez-vous songer à démissionner ? Tellement de questions se bousculent dans votre tête. Et toutes exigent des réponses. Il vaut donc la peine que vous consacriez du temps pour les obtenir. Je vous propose le plan d'action suivant :

Renseignez-vous. Prenez d'abord le temps de vous informer. La lecture de ce livre est un premier pas. Il devrait vous donner plusieurs renseignements, mais vous devrez amasser d'autres renseignements, propres à votre situation.

Réfléchissez et faites votre inventaire. La réflexion doit porter sur l'ensemble des éléments qui caractérisent votre situation : vos moyens financiers, votre soutien familial, social et autre, votre état physique et psychologique, etc. Faites un inventaire. Considérez les éléments qui sont positifs et ceux qui sont négatifs. Établissez aussi une liste des faits, comme, par exemple, que vous êtes monoparentale et que les finances sont serrées. Dans cette étape, vous faites un portrait de la situation. Vous êtes aussi en train de décider de ce que vous allez faire. Quitterez-vous cet emploi ? Allez-vous vous battre pour vos droits ? Préférez-vous attendre ?

Prenez une décision. Vous avez réfléchi. Vous avez analysé la situation. Vous avez pensé aux différentes options. Vous prenez une décision finale.

Élaborez un plan d'action. C'est à ce stade que vous devez prévoir ce que vous allez faire et que vous passerez à l'action. Cette phase peut prendre plus ou moins de temps, selon votre cas. Si vous avez décidé de quitter votre emploi sans en avoir trouvé un autre au préalable, cette phase sera très courte. Par contre, si votre plan d'action comprend une ou plusieurs plaintes, elle sera alors plus longue et peut même s'échelonner sur des mois, voire des années.

Prenez le temps de vous reconstruire. À mon humble avis, c'est la phase la plus importante. C'est l'étape où vous prenez le temps de réfléchir aux événements passés. Vous cherchez non seulement à comprendre ou à mettre derrière vous cette mauvaise passe, mais également à apprendre de cette situation. Vous devez en sortir plus grand et plus fort. Vous vous débarrassez de votre colère ou de vos sentiments de culpabilité et de honte, s'il y a lieu. Vous bouclez la boucle, tout en étant conscient que ces circonstances feront toujours partie de votre vécu, c'est-à-dire du tissu de votre vie.

CHAPITRE 5

Plan d'action

Première étape : renseignez-vous

Informez-vous sur le harcèlement psychologique au travail. Assurez-vous que vous êtes bien en présence de ce type de violence. Vous faites déjà un premier pas : vous lisez ce livre. Mais il existe d'autres ouvrages de référence. Celui du professeur Leymann, qui, le premier, a dénoncé ce problème et les deux livres de Marie Hirigoyen sont d'autres sources de renseignement. La Commission des normes du travail du Québec devrait certainement être sur votre liste. Allez sur leur site Internet. Contactez-les et lisez les divers guides et dépliants qu'ils possèdent et qui sont disponibles au grand public. Faites également une recherche sur Internet pour trouver d'autres sites de renseignements. Si vous avez de la difficulté à détecter les paroles et les gestes constitutifs du harcèlement, vous pouvez consulter aussi des livres portant sur le harcèlement en général ou sur le harcèlement sexuel. Même si l'ensemble de la problématique n'est pas identique, il y a des ressemblances.

Plusieurs sites Internet sont maintenant à votre disposition et donnent beaucoup d'information. Ils peuvent vous être utiles. Puisque la plupart donnent l'occasion aux internautes d'émettre des commentaires et de partager leur expérience avec des gens qui vivent des situations semblables, ces sites constituent une ressource inépuisable. Si vous n'avez pas accès à Internet, rendez-vous à votre bibliothèque publique ou dans des cafés Internet, et apprenez à vous en servir. Les sites Internet sont des sources d'information qui peuvent vous être précieuses, à condition que vous les utilisiez avec discernement.

Il se peut que votre médecin ne connaisse pas bien le phénomène du harcèlement psychologique au travail.Vous aurez peut-être à faire son éducation en la matière. Même chose pour votre représentant syndical, votre conjoint, etc. C'est pourquoi vous renseigner est fondamental.

Examinez aussi les différents organismes qui se préoccupent du phénomène ou qui offrent du soutien. Les ministères gouvernementaux peuvent être des sources de renseignement intéressantes. Au Québec, rapportez-vous à la Commission des normes du travail. À la fin de ce livre, vous trouverez le nom de quelques organismes et vous pourrez mettre la main sur leur adresse dans votre région afin de les joindre. Obtenez le plus de renseignements possibles concernant les lois et les services offerts.

N'oubliez pas votre syndicat et tous les renseignements offerts à même votre lieu de travail. Peut-être que l'énoncé de mission est clairement écrit et disponible, et que des procédures pour contrer le harcèlement en général sont déjà mises en place. Elles peuvent vous donner une indication de la marche à suivre. Il existe peut-être une charte des droits et obligations des travailleurs et une lecture sérieuse de celle-ci, à la lumière des événements que vous vivez, peut vous permettre de vérifier objectivement si vous êtes en présence ou non de harcèlement, selon cette charte, bien sûr.

Les travailleurs de la santé, tels que les médecins, psychologues, travailleurs sociaux, etc., et les services communautaires peuvent aussi être des sources de renseignement et de soutien.Vérifiez auprès de ces experts et leurs associations professionnelles. Ces dernières détiennent peut-être des documents qu'elles peuvent partager avec vous. Même chose pour d'autres services professionnels, tels que les conseillers en orientation et les avocats ; ces associations peuvent aussi vous référer à des services gratuits ou de moindre coût.

Lisez aussi les renseignements que je donne dans la section « Se renseigner », p. 134. Ils vous guideront dans votre recherche.

Vous renseigner vous permettra de confirmer vos doutes : êtes-vous en présence de harcèlement ou d'une autre problématique ?

Plus vous comprendrez clairement ce qu'est le harcèlement, plus vous serez éclairé lors de votre réflexion. Votre raisonnement sera plus solide, votre plan d'action, plus adéquat et sa mise en œuvre, allégée.

Deuxième étape : réfléchissez et faites votre inventaire

Lorsque tout va mal, il faut considérer les éléments spécifiques à votre condition professionnelle et personnelle. Aucune situation de harcèlement n'est exactement semblable. Il n'y a jamais deux situations personnelles, financières et familiales qui soient totalement identiques.

Démissionner, rester et ne rien faire, ou se battre ? Peut-on rester et faire quelque chose, sans pour autant prendre les armes ? Quel est le plan d'action le plus favorable à votre situation ? Qu'êtes-vous prêt à faire ? Que devriez-vous faire ?

Je vais essayer de vous donner quelques pistes pour résoudre ces questions. Chaque situation de harcèlement est différente. L'ensemble de votre situation sociale, personnelle, financière et professionnelle ne peut être pareil à celui d'aucun autre individu. Ce sont plusieurs facteurs auxquels vous devez réfléchir pour prendre une décision éclairée. Votre situation financière vous permet-elle de quitter votre emploi ? Existe-t-il d'autres solutions, moins dramatiques, telles que demander à être affecté à un autre poste ? Vous sentez-vous bien à l'idée de changer de poste et de laisser ainsi le harceleur « gagner » ? Avez-vous une condition physique, mentale, psychologique et émotionnelle assez stable pour affronter une bataille ? Bénéficiez-vous d'un soutien extérieur ? Est-ce que le secteur d'activités auquel votre emploi se rattache vous intéresse toujours ? Aviez-vous choisi cet emploi ? Ce sont là des questions pertinentes. Elles vous servent à faire un inventaire de votre situation.

Si le harcèlement cessait, votre emploi vous satisferait-il ? Êtes-vous fier du poste que vous occupez ? Souhaiteriez-vous vivre autre chose, mis à part la fin du harcèlement ? Vérifiez si le travail que vous faites correspond à vos aspirations, à vos valeurs et au temps de votre vie que vous voulez consacrer à un emploi. Peut-être qu'il ne vaut pas la peine que vous dépensiez toutes les énergies nécessaires à la défense de vos droits. Par contre, même si votre emploi ne s'avérait pas si important à vos yeux, il se peut que votre éthique ne vous permette pas de laisser un tel individu continuer son petit jeu avec d'autres.

La plupart des gens qui laissent leur emploi sur un coup de tête s'en trouvent insatisfaits à long terme. Ils se retrouvent souvent dans des situations qui ne valent pas mieux ou qui se révèlent semblables. Il vaut mieux, malgré la difficulté de la situation, que vous preniez du temps pour réfléchir à votre plan d'action.

Certaines conditions de travail sont nécessaires à un climat positif. Avoir un certain degré d'autonomie de travail, un environnement physique adéquat, du respect et de la considération dans le travail que l'on effectue, une certaine qualité dans les relations de travail — que ce soit à l'intérieur de votre groupe ou entre les différents services —, un certain degré de contrôle sur le travail que l'on fait, etc. Si plusieurs de ces éléments ne sont plus là, il vous sera très difficile d'être heureux dans votre milieu de travail et d'oublier les frustrations et le stress engendrés par l'absence de ces conditions. Il devient alors important que vous fassiez quelque chose.

Durant la période dans laquelle vous réfléchissez et vous faites l'inventaire de votre situation, pour déterminer si vous allez démissionner de votre emploi, vous battre pour vos droits ou encore rester et endurer la situation, il importe avant tout de vous protéger. Vous devez protéger votre être physique, émotionnel, psychologique et professionnel. Votre capacité à vous protéger dépendra en partie de vous et en partie de facteurs externes. La pression que vous subissez doit être suffisamment réduite de façon à vous permettre de vous sentir mieux ou suffisamment bien pour que vous puissiez effectuer votre réflexion, tout en continuant à travailler si cela est nécessaire. Cela peut vouloir dire obtenir un arrêt de travail et l'appui de votre médecin personnel, ou encore consulter un psychologue. Parfois, le soutien de vos amis et parents est suffisant. Il se peut également que faire de l'exercice, du yoga, du taï chi ou toute autre activité permettant d'évacuer le stress vous suffise. Cela dépend de chacun.

Entre-temps, même si vous n'avez pas décidé de vous battre, je vous conseille fortement de tout noter et de poser des limites. Essayez d'arrêter l'escalade de la violence. Vous devrez peut-être même faire enquête si vous soupçonnez des pièges. Peut-être ne vous servirez-vous jamais de ces notes, mais, au moins, vous les aurez si vous en avez besoin un jour. Vous ne connaissez pas l'avenir. Mieux vaut vous protéger. De plus, il vous faut cesser de tout subir en silence comme s'il n'y avait rien à faire, comme si vous n'aviez pas le choix. Nous avons toujours un choix. Celui-ci est parfois bien maigre et peu reluisant, mais il est là. Subir en silence est aussi un choix, même si ce n'est pas le meilleur. Nous sommes tous créateurs de nos vies. Et c'est à travers nos choix que cette faculté s'exprime. Lorsqu'on vous agresse dans votre identité, on porte atteinte à votre être profond. Que vous deviez rester et vous défendre, demander un transfert, quitter l'emploi ou faire tout autre choix auquel vous pouvez penser, ne restez pas à subir et à laisser votre santé et votre personne se détruire. Vous n'êtes pas votre travail. Vous valez plus que votre travail. Le travail n'est qu'une dimension de vous. Rien ne compensera jamais l'effet dévastateur qu'une telle agression peut avoir sur votre personne. Vous devrez vous outiller de ressources de toutes sortes, soit pour reprendre confiance en vous-même, soit pour mener une bataille. Nous parlerons de chacun de ces aspects dans les sections à venir.

Notre vie de travail dans un endroit donné comporte diverses phases. Au début, nous sommes dans une étape d'apprentissage et les efforts que nous devons fournir sont plus grands. Cela n'est pas un problème, car si nous sommes contents d'occuper ce poste, nous avons un regain d'énergie et sommes prêts à mettre la main à la pâte. Une fois cette première étape terminée, nous voyons graduellement notre habileté s'accroître et notre confiance envers nos propres capacités grandit. Tout en dépensant moins d'énergie que lors de la première étape, on accomplit un meilleur boulot. Puis vient la troisième étape, qui est celle de la maîtrise des tâches que l'on accomplit. On se trouve au sommet de notre art, pourvu que l'on se trouve dans un climat de confiance ! On fait notre travail de façon impeccable. On aime notre emploi et on en parle avec enthousiasme. Ensuite vient une quatrième étape où s'opère une remise en question. On ressent un certain vide, qui se remplit par le questionnement et le doute. C'est le temps de faire le point sur notre situation au travail. On décide alors, en considérant plusieurs facteurs, de continuer dans le même emploi ou de quitter pour relever d'autres défis ailleurs. On peut aussi tenter de voir comment, tout en gardant le présent emploi, on pourrait l'améliorer ou obtenir de nouvelles tâches afin de recommencer le cycle. Une autre alternative est de rediriger ses énergies ailleurs qu'au travail. Cela peut se faire à travers le sport, le bénévolat, le développement d'un projet. Ce doit être quelque chose qui nous tient à cœur et pour lequel nous sommes prêts à consacrer temps et énergie. Puisque le travail nous en demande moins, on peut maintenant s'investir ainsi dans d'autres domaines. L'aspect négatif de cela est que l'entreprise n'utilise pas son employé à cent pour cent, mais cela n'est pas ce qui nous préoccupe. Puis finalement, il y a l'étape du désintéressement. C'est une étape dangereuse pour les personnes qui, au lieu de prendre le temps, dans la quatrième étape, de faire le point et de prendre une décision, évitent toute remise en question et se convainquent que les choses s'amélioreront d'elles-mêmes. Elles se distancent face au travail et perdent de l'intérêt. Elles ne prennent plus plaisir dans le sentiment de performance et leur travail est accompli mécaniquement. Cette étape est périlleuse, car ces gens ressentent le plus souvent de la frustration ou de l'ennui. Cela crée une chute de l'estime de soi et peut aussi engendrer la maladie.

Ce cheminement est le parcours typique d'un individu au travail. Il peut y avoir, comme dans le cas du harcèlement psychologique au travail, des incidents de parcours. Ceux-ci peuvent précipiter le passage d'une étape à l'autre. C'est là-dessus que vous devez réfléchir. Vous pouvez d'abord essayer d'identifier l'étape à laquelle vous étiez rendu avant que le harcèlement ne commence. Cela peut conforter votre décision. Vous pouvez aussi essayer de voir comment vous pourriez retourner dans des étapes précédentes. Pourriez-vous obtenir de nouvelles tâches, acquérir des responsabilités qui vous intéressent, vous permettant de revenir à la phase un ? N'oublions pas que le harceleur n'est pas nécessairement votre patron. Vous avez peut-être des alliés qui peuvent vous aider. Votre patron est peut-être ouvert à l'idée de vous venir en aide sans même que vous n'ayez à fournir de raisons. Vous pouvez aussi demander à exécuter des tâches que vous faisiez auparavant et pour lesquelles vous étiez bien et hautement qualifié. Vous vous retrouveriez alors dans la deuxième étape. Peut-être que ces changements obligeraient-ils une mutation dans une autre équipe de travail et vous libéreraient-ils ainsi du harceleur? Avez-vous des activités — le bénévolat ou le retour aux études, par exemple — que vous avez toujours désiré faire, mais que vous n'avez jamais osé entreprendre? Peut-être est-ce le bon moment? Peut-être que l'option de rediriger vos énergies ailleurs que dans votre travail serait une solution pour vous? Déterminez ce qui est possible, ce qui vous satisferait et si cela en vaut la peine.

Tout au long de votre réflexion, surveillez votre façon de penser. Quelles sont les idées qui traversent votre esprit? Écrivez-les, s'il le faut! Y a-t-il des situations où vous vous félicitez de votre travail? Ou des journées où vous recevez des félicitations par quelqu'un d'autre que votre assaillant? Que pensez-vous alors? Vous sentez-vous fier ou êtes-vous méfiant? Pensez-vous qu'il y a des moyens pour vous en sortir? Des façons d'améliorer votre sort? Surveiller vos pensées vous permettra d'évaluer l'état de la situation. C'est très important. Si vous constatez que le harcèlement est si fort et si omniprésent que vous avez constamment des pensées négatives envers vous-même, peut-être est-il impératif que vous preniez un congé, ou que vous vous en alliez définitivement? À titre d'exemples, voici quelques pensées négatives qui peuvent vous habiter:

«C'est foutu. Il n'y a plus rien que je puisse faire qui puisse m'aider.»
«Je suis un bon à rien. Il a raison. Je mérite ces conditions.»
«C'est injuste! Je vais me défendre!»
«Je ne peux plus continuer ainsi. Je vais devenir fou!»
«Je me sens si mal. J'ai des palpitations. J'ai mal au cœur et j'ai une forte envie de vomir chaque fois que je vois l'édifice de l'entreprise.»

Comme vous pouvez le constater, prendre conscience de vos pensées peut vous permettre d'évaluer où vous en êtes. C'est l'un de vos «thermostats» de santé. Il est fort probable que l'individu qui se sent mal physiquement à la seule vue de son édifice de travail n'a plus la même quantité d'énergie en réserve que celui qui se révolte intérieurement sous l'injustice et qui désire se défendre. Jusqu'à quel point votre relation avec votre harceleur empoisonne-t-elle votre existence? La situation vous a-t-elle lentement affaibli, rongé à tel point que vous la laissez vous dominer? Un examen de vos propres pensées peut vous permettre d'obtenir réponses à ces questions. Un autre truc est de parler de votre cas à un ami de confiance et de lui demander de noter les mots que vous utilisez lorsque vous parlez de ce que vous ressentez face à la situation. On se révèle beaucoup en parlant. Celui qui dit: «Je n'en peux plus! Cela me rend malade!» n'est pas dans le même état que celui qui annonce: «Quand il fait cela (le harceleur), j'ai tellement envie de me rebiffer! Je me demande par quoi commencer et quoi faire.»

Et que vous dit votre corps? Vous donne-t-il un sommeil réparateur ou perturbé? Souffrez-vous d'insomnie ou, au contraire, n'arrivez-vous plus à vous lever le matin? Remarquez-vous des troubles de l'appétit? Vous arrive-t-il de manger vos émotions et, d'autres fois, vous arrive-t-il de ressentir des nausées? Votre corps vous parle-t-il d'anxiété à travers des symptômes tels que des palpitations cardiaques, les mains moites, un nœud dans la gorge, et une perte d'énergie qui se traduit par une fatigue constante? A-t-il besoin d'un repos ou a-t-il encore de l'énergie en réserve? À quoi veut-il utiliser l'énergie restante?

Que vous dit votre esprit? Est-il fatigué, épuisé, vidé ou frustré et en colère? Est-il rempli d'angoisses? Y reste-t-il de la place pour l'humour et pour les compliments? A-t-il encore des ressources? Est-il rempli de pensées malveillantes envers vous-même? Est-il rempli de peurs, de sentiments de culpabilité et de tristesse? A-t-il encore la capacité d'apprécier les belles choses de la vie, telle que la nature et ses beautés, ou est-ce que la situation est si pénible qu'il ne connaît plus que les pensées déprimantes?

Quel est l'avis de votre entourage ? Votre conjoint, votre amoureux, votre famille, vos amis, que disent-ils ? Avez-vous du soutien de leur part ou êtes-vous seul ? Vous croit-on ou doute-t-on de vous ? Les gens vous complimentent-ils ou sont-ils avares d'éloges à votre égard ? Votre environnement vous permet-il de vous épanouir ? Que disent vos finances, vos ambitions professionnelles, vos ambitions sociales ? Qu'en est-il de vos rêves et vos projets ? Cette situation empêche-t-elle la réalisation de l'un de vos grands projets ? Avez-vous d'autres projets qui vous tiennent à cœur ?

Que dit votre âme ? Que vous devez persister, attendre ou prendre un autre chemin ? Que vous devez vous battre et/ou rester, mais en vous protégeant et en attendant autre chose ? Que vous devez apprendre quelque chose ? Quoi ? Bref, lorsque vous écoutez votre voix intérieure, que dit-elle ?

Troisième étape : prenez une décision

Si vous décidez de démissionner, ne le vivez surtout pas comme un échec. Que vous fassiez ce choix parce que vous n'avez pas la force, l'envie ou l'énergie de vous battre, ou parce que, finalement, vous découvrez que cette situation négative est porteuse d'un nouveau départ, d'un apprentissage ou autre, vous prenez la décision qui est la meilleure pour vous et c'est tout ce qui compte. Peut-être que ce travail est devenu trop limité pour vous, après tout. Peut-être que votre emploi est trop lourd et que vous n'avez tout simplement plus envie de porter ce fardeau. Peut-être avez-vous vécu d'autres situations difficiles et que celle-ci est de trop ? Peut-être que, dans le moment présent, il y a trop de problématiques dans votre quotidien et que vous devez procéder par ordre de priorités. Peut-être que votre travail n'en vaut pas la peine. Il n'est pas question ici de gagner ou de performer. L'important est de faire ce qui est le mieux pour soi.

En situation de harcèlement psychologique au travail, il est important d'identifier les raisons qui motivent votre décision, que ce soit de rester, de vous battre ou de partir. Ces raisons seront votre moteur tout au long de votre démarche. Vous pourrez vous rappeler : « Oui, j'ai fait cela parce que… » « C'était vraiment le mieux pour moi à ce moment-là », au lieu d'y repenser et de vous dire :

«Pourquoi je n'ai pas fait cela»? et de ne pas avoir de réponses. Si vous avez bien pris le temps de réfléchir, vous pourrez répondre à cette question. Et n'oubliez pas que vous avez aussi le droit de changer d'idée en tout temps.

Si vous décidez de partir, demandez-vous sur quoi se base votre décision. Mettre fin à une relation malsaine? Reprendre des énergies physiques et émotionnelles? Saisir cette occasion pour changer de poste, de domaine ou poursuivre des études? Essayez d'en connaître les raisons, car il se peut que vous trouviez ainsi une solution qui répondrait à ces besoins sans pour autant quitter votre emploi. De plus, confronter une telle situation vous évitera peut-être de vous retrouver dans une situation semblable dans un emploi futur.

Si vous décidez de rester, demandez-vous aussi pourquoi. Parce que vous travaillez à cet endroit depuis trop longtemps et vous avez trop à perdre du point de vue des bénéfices, de votre pension, etc. ? Ou est-ce une question d'éthique; vous ne pouvez permettre à un tel individu de continuer ainsi et de pouvoir s'attaquer à d'autres? Parce que vous pensez pouvoir obtenir un transfert? Parce que vous ne pouvez pas vous le permettre financièrement?

Réfléchissez à ce que vous pensez faire, que vous preniez l'une ou l'autre de ces options. Vous devez absolument réaliser que personne d'autre que vous-même ne vous sortira d'affaire. Certains pourront vous aider, mais en fin de compte, c'est à vous de vous sauver. Ce sera à vous de trouver des appuis, de faire comprendre à d'autres personnes que les choses vont mal, que vous vous faites harceler et que vos droits ne sont pas respectés. Croyez-moi, il arrivera des embûches et des imprévus. Il est donc important que vous mesuriez bien le poids de votre décision.

Quelles sont les avenues qui s'offrent à vous? À quel moment est-il est préférable de partir? Y a-t-il un moment mieux qu'un autre? Y a-t-il des choses auxquelles vous devriez penser avant de passer à l'action? Et si vous restez, qu'est-ce que vous ferez pour vous protéger ou pour améliorer vos conditions de travail? Est-ce que votre plan d'action mise sur la volonté du harceleur, sur la vôtre uniquement ou les deux? Avez-vous un syndicat? Que peut-il faire? Est-ce que la loi peut vous aider? Est-ce que les services sociaux peuvent faire quelque chose pour vous ? Existe-t-il des organismes d'entraide ? Je vous donne ici des suggestions ; néanmoins, votre propre processus de réflexion, qui sera adapté à votre situation, demeure important afin de bien identifier ce qui est le mieux pour vous. Voyez le choix qu'a fait la personne suivante et ce qu'il en est ressorti :

> Pour tenir le coup, je m'étais engagée à prendre des responsabilités dans une association pour handicapés à titre de bénévole en soirée. Cela me permettait de ne pas penser aux horreurs vécues dans la journée. Cela me faisait du bien, mais c'était aussi difficile. Je voyais aussi un psychologue. Ultérieurement, j'ai décidé de créer un groupe d'entraide. Une solution inespérée s'est offerte à moi. En effet, l'association dont je suis maintenant dirigeante a eu les moyens financiers pour engager une personne à temps complet et j'y travaille désormais. Je retrouve le plaisir d'aller au travail et les journées me semblent trop courtes. Il y a quelques mois, je n'aurais pas pu imaginer que tout cela pouvait arriver.

Je ne veux pas créer de faux espoirs, mais cela ne fait que démontrer que des solutions inattendues sont possibles là où on ne les espère pas. Faites preuve de créativité. Des solutions existent. Il suffit de s'arrêter pour y penser. Et avec un peu de chance, la vie fait le reste.

Faire preuve d'objectivité

Certaines personnes pourraient être tentées de faussement se plaindre de harcèlement psychologique au travail alors qu'elles souffrent, en fait, de conditions de travail inadéquates. Ce n'est pas la même chose. Peut-être êtes-vous frustré ou stressé pour d'autres raisons que le harcèlement psychologique. Selon certaines études, le nombre de Nord-Américains qui sont insatisfaits de leur emploi est très élevé. Être insatisfait de son emploi et y rester peut aussi créer de nombreux symptômes et problèmes. Cela dépend de l'ampleur de l'insatisfaction. Faites donc l'analyse personnelle de votre situation. Peut-être qu'un ou plusieurs collègues, ou votre patron, vous font des remarques désobligeantes parce que, finalement, vous traînez la patte au travail… Peut-être vous êtes-vous désintéressé de votre travail et n'avez-vous plus envie de vous y investir, et que votre boulot s'en ressent ? Peut-être, au contraire, êtes-vous irréprochable dans votre emploi ? Comment accomplissez-vous votre travail ? Vous appliquez-vous dans vos tâches ? Rencontrez-vous vos échéanciers ? Arrivez-vous à l'heure ? Votre état au travail est-il normal (vous n'êtes pas sous l'effet de l'alcool, de drogues, etc.) ? Quelle attitude avez-vous ? Êtes-vous positif et constructif, ou toujours en train de chercher des raisons de vous plaindre ?

Quoi qu'il en soit, ne croyez pas que j'accepte que du harcèlement soit exercé sur vous sous prétexte que votre performance au travail n'est pas à la hauteur. Jamais je ne tolérerai le harcèlement psychologique au travail. Rien ne l'autorise ! Rien ne peut donner, à ce ou ces collègues, au patron, à l'usager ou au client, le droit de vous injurier et de commettre différents actes de harcèlement ; néanmoins, se peut-il que vous soyez responsable de quelque chose ? Il est préférable que vous sachiez reconnaître en vous-même vos torts, et ce, en toute objectivité. Toutefois, n'allez pas vous attribuer des fautes qui ne sont pas les vôtres ! Peut-être subissez-vous vraiment du harcèlement psychologique ; il est donc important d'identifier correctement la situation. Cette réflexion en profondeur vous permettra de vous renforcer dans vos convictions, de vérifier que vous soyez bien dans vos droits. Vous y gagnerez ainsi plus de crédibilité auprès de ceux qui vous aident. De plus, vous n'avez pas à être un travailleur modèle pour faire valoir vos droits. Je le répète, rien ne donne droit à quiconque de pratiquer le harcèlement au travail. Lorsque vous aurez à vous défendre, vous pourrez ainsi être franc avec votre représentant syndical, avocat ou autre, et avouer vos propres torts ; vous gagnerez leur confiance de par votre honnêteté.

Il est donc important de faire preuve d'objectivité et d'analyser chaque situation en se basant sur des faits et non pas sur votre perception subjective. Vous devez vous questionner et vérifier vos réactions. En parler avec une personne de confiance extérieure à la situation peut aussi vous aider à distinguer les faits des perceptions.

Resituez le phénomène dans son contexte avec impartialité. Par exemple, vous pouvez vous demander si les propos émis reflétaient les accomplissements de votre travail ou s'ils étaient disproportionnés. Étaient-ils transmis de façon appropriée, soit en privé lorsque nécessaire? Si votre réponse est négative, demandez-vous si des propos de ce genre ont été tenus à de multiples reprises et s'ils ont été utilisés envers d'autres de vos collègues. Expliquez brièvement la situation à un ami et voyez si ce dernier juge les dires de votre présumé harceleur appropriés. Demandez-vous aussi si l'agresseur semblait avoir une arrière-pensée ou s'il s'agissait d'une simple question d'impolitesse.

Il faut une bonne dose d'introspection et de questionnements pour faire état d'une situation en toute objectivité, mais cela en vaut la peine. Vous serez mieux à même d'expliquer les faits si besoin était dans le futur et votre crédibilité en sera accrue.

Quatrième étape : élaborez un plan d'action

Que votre décision soit de quitter votre emploi, de rester à court terme jusqu'à ce que vous trouviez une solution de rechange ou de rester à long terme avec ou sans combat, il est préférable que vous pensiez à un plan d'action. Dans la section suivante, nous verrons les choses à faire et à ne pas faire, selon votre situation. Je me concentrerai surtout sur la deuxième et la troisième option, car ce sont celles nécessitant le plus de temps. Que vous choisissiez de rester à court terme ou à long terme, les facteurs à considérer dans votre plan d'action sont les mêmes. Je vous invite donc à lire tout le reste du livre si vous décidez de rester, que ce soit pour une longue ou une courte période. Si vous décidez de quitter votre emploi, la section qui suit est pour vous. Vous pouvez quand même lire le reste du livre, car cela peut influencer votre décision ou la confirmer. Dans l'un ou l'autre des cas, vous devriez certainement lire la section « Prenez le temps de vous reconstruire », car les effets du harcèlement que vous avez vécu se feront sentir au-delà de la coupure d'avec le milieu de travail.

Quitter son emploi

Vous en avez assez ? Votre emploi n'en vaut pas la peine ? Vous pouvez facilement vous trouver un autre emploi ? Votre situation n'est pas facile, mais vous décidez quand même de vous en aller ? Quels que soient les facteurs motivant votre décision, vous avez maintenant fait votre choix et vous planifiez la façon de quitter votre emploi. Vous êtes-vous renseigné en ce qui concerne vos avantages sociaux ? Avez-vous une caisse de retraite ? Peut-elle être transférée à d'autres emplois ? Avez-vous des actions de la compagnie ? Pouvez-vous les vendre sans perte ? Pouvez-vous les garder ou doivent-elles être transférées ? Y a-t-il un moment meilleur qu'un autre pour effectuer une telle transaction ? Avez-vous des avantages sociaux reliés à la santé tels que les soins dentaires, les soins d'optométrie, de chiropratique et autres ? Devriez-vous profiter de certains de ces soins avant de partir ? En somme, qu'allez-vous perdre ?

Étudiez le marché de l'emploi dans votre domaine. Est-il saturé ou y a-t-il pénurie ? Il existe plusieurs sites de renseignement à ce sujet sur Internet et le gouvernement du Canada en a un qui peut vous aider. De plus, plusieurs associations, telles que les Conseillers en Orientation de Carrière offrent des renseignements et de l'aide gratuitement. Votre âge peut-il vous causer des difficultés ou peut-il vous avantager (il y a des emplois ou des secteurs où l'on demande beaucoup d'expérience de travail) ? Avez-vous l'intention de vous trouver un emploi avant de partir ou vous sentez-vous trop fatigué, écœuré, malade, que vous désirez quitter d'abord et chercher ensuite ? Que ferez-vous lorsque l'on vous demandera des références ? Avez-vous pensé à quelqu'un de confiance qui pourrait vous les fournir ? Y a-t-il quelqu'un qui pourrait vous écrire une lettre de référence ?

D'autres questions s'imposent. Vous êtes-vous renseigné auprès de l'assurance-emploi ? Serez-vous pénalisé de deux semaines ou plus en cas de démission volontaire ? Devez-vous voir votre médecin au préalable ? Vous soutiendra-t-il si vous avez besoin d'un rapport médical ? Quel est l'état de vos finances ? Peuvent-elles supporter un arrêt de travail et un salaire réduit pour un certain temps ? Si oui, combien de temps exactement ? Si vous avez trouvé un emploi, comment préparez-vous votre départ ? Combien de temps de préavis êtes-vous obligé de donner ? Demandez-vous s'il y a d'autres affaires à régler avant de partir ; par exemple, y a-t-il des dossiers ou des fichiers dont vous aimeriez conserver une copie ? (Cependant, n'oubliez pas que vos accomplissements en milieu de travail appartiennent à votre employeur et qu'il a le droit d'exiger une certaine confidentialité.) Gardez à l'esprit que certaines de vos réalisations peuvent vous servir dans une future recherche d'emploi et que, même si vous avez déjà déniché un poste, vous pourriez en avoir besoin plus tard. Avec la compétition qui existe sur le marché du travail, il n'est plus rare que les employeurs demandent à voir des résultats de votre travail. Cela peut être des rapports écrits, des exemples de cours que vous avez donnés, un plan que vous avez construit, etc., selon la nature de votre travail.

Ne laissez rien au hasard. Planifiez votre départ. Soyez maître des conditions de votre départ. Les questions précédentes sont autant de pistes pour vous aider à vous préparer, mais il existe probablement d'autres éléments à considérer, plus spécifiques à votre situation. Un départ, ça se planifie ; encore plus si l'on fait face à une situation de harcèlement psychologique. À condition, bien sûr, qu'il vous reste assez de force.

Rester

La plupart des gens optent en premier lieu pour cette possibilité. Il n'est pas facile de quitter un emploi quand on est victime, et il est parfois encore moins facile de se battre pour faire valoir ses droits. Certains réussissent aussi à rester, même à long terme, au milieu de relations de travail malsaines. Souvent, ils y arrivent en consacrant leur énergie à l'extérieur du travail. Ils se découvrent une passion en dehors du travail et celle-ci les comble. Dans l'échelle de leurs besoins, le travail prend très peu de place. D'autres trouvent des moyens pour évacuer leurs frustrations, comme le fait de pouvoir se confier à quelqu'un régulièrement à propos de toutes les avanies subies, comme pour «expirer» le négatif. Pour certains, cela suffit. Quoi qu'il en soit, rester prend beaucoup de courage et de force psychologique et émotionnelle. D'autant plus que le harceleur a une longueur d'avance ; ce n'est qu'après un certain temps que l'on peut constater les faits et se convaincre que l'on est effectivement victime de harcèlement au travail. Mais vous n'êtes pas dans une arène, en pleine compétition ; il importe peu qu'il vous devance. Ce qui importe ici est de bien vous protéger, de vous outiller, de prendre conscience de vos besoins et d'évaluer le tout dans son ensemble.

Il est également important que vous preniez le temps de penser à ce que vous ferez, comment, pourquoi et quand. Renseignez-vous sur le harcèlement, sur les manipulateurs, sur l'agression verbale, sur les droits du travail ou sur tout autre sujet pertinent. Essayez de trouver des moyens de vous relaxer pour évacuer le stress que vous vivez au travail. Vous pouvez par exemple vous offrir des massages, à l'occasion, ou faire du yoga. Je crois qu'il serait bon que vous voyiez un psychologue, car celui-ci saura vous écouter et vous donner différentes méthodes pour faire face aux agressions. Si vous ne pouvez pas vous le permettre, essayez de vous trouver un bon médecin ou un ami qui saura être à l'écoute et vous soutenir. Il est aussi possible que vous ayez besoin d'antidépresseurs, de relaxants pour vous aider à dormir ou toute autre médication jugée nécessaire. Peut-être en êtes-vous au point où vous avez besoin d'un congé pour raison de maladie. Vérifiez aussi auprès des services communautaires tels que les Centres locaux de santé communautaire (CLSC), consultez l'organisme Au bas de l'échelle. Informez-vous également auprès de l'association des psychologues et des psychiatres ; peuvent-ils vous référer à des professionnels exigeant des honoraires moins élevés ou à des étudiants en fin d'études qui seraient intéressés à faire une recherche ou à pratiquer leurs habiletés avec vous ? Juste le fait de parler et d'être écouté peut vous apporter beaucoup et vous aider à conserver votre santé mentale. L'Internet, comme nous l'avons déjà vu, est aussi rempli de renseignements et de réseaux d'échanges. Sachez cependant l'utiliser avec discernement.

De plus, évaluez régulièrement le climat de travail et votre état personnel. Y a-t-il escalade dans le harcèlement ? Les actes néfastes se répètent-ils davantage ? Quel est l'état de votre sommeil, de votre appétit ? Avez-vous des symptômes physiques d'anxiété : palpitations cardiaques, douleur dans la poitrine, maux de ventre, maux de tête, maux de cœur à la pensée d'aller travailler ? Souffrez-vous de fatigue constante, de maux de tête récurrents ? Vous sentez-vous de plus en plus démotivé au travail ? Peut-être ressentez-vous même de la peur ?

Ces symptômes ne sont pas exclusifs au harcèlement au travail. Il est donc primordial que vous consultiez votre médecin si vous ressentez un problème de ce genre. Faites-vous faire régulièrement un bilan de santé. Est-ce que votre état s'améliore, se détériore ou reste constant ?

N'ayez pas trop d'espoir de voir changer le harceleur. Ce serait perdu d'avance. Il est très important que vous acceptiez ce fait. Une fois cela accompli, vous sentirez un fardeau tomber de vos épaules. Il se peut aussi que vous commenciez même à éprouver de la pitié pour lui. Ne devenez pas Mère Teresa ! Là n'est pas votre mission ! Concentrez-vous sur le fait de changer vos propres réactions et votre perception face aux agressions. Il vous faut apprendre à faire valoir vos droits, calmement mais fermement. Gagnez de l'assurance. Si cela est trop difficile avec votre assaillant au début, essayez avec d'autres collègues de travail. Regagnez peu à peu votre confiance en vous. Récompensez-vous pour vos victoires, même les plus petites. Peu à peu, tâchez de devenir de plus en plus sûr de vous et ayez confiance en vos compétences. Dosez vos actions, votre ton de voix et tentez de regarder l'agresseur ; n'évitez pas son regard. Attendez-vous à ce qu'il réagisse et ne croyez pas pouvoir tout prévoir. Allez-y au fur et à mesure. Entre-temps, utilisez les choses à faire qui suivent, à savoir noter, imposer vos limites, faire respecter vos droits, etc. Je vous donne une liste complète. Et tenez bon ! Ne vous laissez pas intimider ! C'est en forgeant que l'on devient forgeron ! Cela peut prendre beaucoup de temps, des mois même. Vérifiez périodiquement si vous êtes dans la bonne voie.

Vous pouvez aussi essayer de réinventer votre travail, ce qui veut dire que vous vous efforcerez de trouver les moyens qui vous permettront de vous retrouver dans les étapes favorables du cheminement de travail que j'ai énumérées auparavant. Rappelez-vous que cela signifie vous retrouver dans une phase d'efforts et d'apprentissage, de maturation ou de maîtrise de vos tâches à accomplir. C'est tout un défi dans une situation de harcèlement. Mais soyez bien sûr du choix que vous faites et assurez-vous que ce soit possible et que ce soit à votre avantage, car c'est extrêmement difficile. Cela implique que vous aurez à tenter de reprendre le contrôle sur vos tâches, que vous devrez savoir gérer votre travail et votre vie, dans tous ses aspects, selon vos objectifs à vous. Finalement, cela nécessite que vous sachiez vous récompenser.

Et n'oubliez pas : vous avez le droit de changer d'avis en tout temps et décider de quitter ou de faire un autre choix. Votre énergie est limitée. Vous n'êtes pas forcé de vous en tenir à tout jamais à votre choix.

Choses à faire pendant que l'on reste
D'abord, se protéger
Si l'on vous fait des menaces, portez plainte ! Si vous sentez l'imminence d'une attaque corporelle, il est primordial que vous demandiez de l'aide. Vous devez dès le début mettre un terme à tout ce qui pourrait porter atteinte à votre sécurité physique. Si l'on vous menace verbalement, répondez à votre assaillant, calmement mais fermement, qu'il n'a aucun droit de tenir de tels propos. Montrez à votre adversaire qu'il ne peut vous déstabiliser de cette façon. Démontrez-lui que vous ne tolérez pas ces comportements. Et si vous sentez un réel danger, portez plainte ! Une fois que votre plainte formelle est reçue, demandez si vous pouvez être physiquement séparé de votre harceleur. Cela vous donnerait un répit tout en diminuant les possibilités d'agressions. L'essai vaudrait le coup, surtout si une enquête est prévue et que le processus risque de se prolonger.

Essayez d'avoir des témoins autour de vous. Évitez les situations où vous pourriez vous retrouver seul avec l'agresseur. Si vous avez achevé une tâche importante, tâchez de montrer votre travail à quelqu'un pour que cette personne puisse en être garant. Il est préférable que vous fassiez appel à des personnes objectives qui soient le moins possible sous l'emprise de la peur, de la colère ou d'un désir de vengeance envers l'agresseur. Cependant, n'oubliez pas que ce dernier essaie de vous contrôler. Il veut affirmer sa supériorité et il réagira à toute situation qu'il perçoit comme étant menaçante. Ne le provoquez pas. Il pourrait, à la limite, être dangereux.

Prendre des notes

À partir du moment où vous soupçonnez la présence de harcèlement psychologique, tenez un agenda. Notez à *tous* les jours les événements qui se produisent, même lorsque rien de significatif ne semble avoir lieu. Si certains gestes ou événements surviennent et qu'il y a d'autres témoins, prenez leur nom en note. S'il existe des références légales, notez-les. S'il y a des collègues qui vous évitent et que vous constatez que des informations ne vous sont pas divulguées, inscrivez ces faits. Si l'on vous parle de façon inappropriée, écrivez les mots utilisés et par qui, à quelle date, quelle heure, etc.

Inscrivez aussi chaque jour vos émotions, votre état physique et mental. Si votre manquez de sommeil ou d'appétit, si vous sentez une pression dans la poitrine qui augmente de jour en jour, notez-le. Votre eczéma refait surface ? Notez ! Notez tout ce qui sort de l'ordinaire. Dans le doute, notez.

Ajoutez les conséquences que le harcèlement psychologique dont vous souffrez a sur votre famille. Si vous avez des disputes plus fréquentes avec votre conjoint, par exemple. Si vous vous apercevez que vous manquez de patience avec vos enfants. Si votre conjoint vous indique qu'il vous trouve « obsédée » par les événements. Écrivez toutes ces choses.

Notez les visites que vous devez faire chez le médecin et ou d'autres professionnels tels que psychologues, massothérapeutes, psychiatres, etc. *Notez, Notez, Notez !*

Poser des limites

Toute situation est porteuse d'apprentissages. Être victime peut vous apprendre à poser des limites. Si on a réussi à vous mettre derrière les barreaux, à vous enlever vos tâches, vos responsabilités ou peut-être même vos outils de travail, cela indique probablement que vous n'imposez pas suffisamment vos limites. Alors maintenant, il est temps d'apprendre ! Commencez à poser vos limites !

En fixant des limites, vous vous protégez. Ces frontières vous permettent de vous définir en tant que professionnel et force les autres à vous témoigner un certain respect. Lorsque vous ne les exprimez pas, vous permettez à quelqu'un de les transgresser. La porte est grande ouverte. Dans un sens, vous alimentez le pouvoir de l'autre.

Il faut énoncer ses limites. Les gens n'ont pas à les deviner. Les limites doivent être formulées, verbalement, par des gestes, par des délimitations géographiques, par des images, par des trucs, par un million de façons permettant de transmettre le message. Par exemple, si votre bureau est doté d'une porte et qu'à certains moments celle-ci est fermée, ce fait indique à tous qu'ils devraient demander la permission avant d'entrer, et frapper de petits coups ; lorsqu'elle est ouverte, quelqu'un peut croire qu'il peut demander votre attention sans retenue en entrant rapidement dans votre espace de travail. La porte impose une limite. De la même manière, si vous affichez dans votre bureau des messages du genre : « Respect pour tous », « J'aime la diversité », etc., vous exprimez une position bien claire et pouvez ainsi limiter des discussions. Vous ne trouvez pas de telles affiches ? Fabriquez-les vous-même !

Bien sûr, ces limites doivent demeurer dans la mesure du raisonnable sans quoi vous obtiendrez le contraire. Il y a certaines tâches que vous ne pouvez refuser dans le cadre de votre emploi. Par contre, il peut se produire des situations inappropriées. Par exemple, si l'on fait des « blagues » déplacées à votre propos, posez alors vos limites. Avertissez l'individu en question, dites-lui que vous n'acceptez pas les impolitesses de ce genre et que vous voulez que cela cesse. Il peut alors vous demander pourquoi. Donnez-lui une brève explication, et ne dépensez pas trop d'énergie à répéter encore et encore si la personne n'est pas d'accord avec vous en ce qui a trait au type d'humour acceptable. Donnez-lui votre position et expliquez que ces blagues vous affectent. Qu'est-ce que cela lui coûte d'arrêter les blagues sur vous ? Si la personne ne cherche aucun pouvoir, elle acceptera de changer ses propos vous concernant. Il se peut qu'elle en soit un peu frustrée, mais soit. S'il est effectivement question de harcèlement, après avoir dit ce que vous aviez à dire, quittez les lieux ; ne le laissez pas prendre emprise sur vous en débattant interminablement des limites que vous avez établies. En revanche, si vous recevez une demande ou un ordre qui n'est nullement abusif, discriminatoire ou déraisonnable, que le ton de votre employeur est approprié et que la tâche demandée est directement reliée à vos responsabilités, si celle-ci n'est pas contraire à la loi et à l'ordre public, ne met pas en danger votre santé et sécurité et est conforme à votre convention collective ou votre contrat de travail, vous n'êtes pas en droit de refuser.

Dans le cas contraire, il faut parfois poser ses limites de façon un peu plus poussée. Après l'avertissement verbal, si les choses ne changent pas, vous pouvez émettre un avis écrit. Bien sûr, on ne commence pas à émettre des avertissements écrits pour toutes les petites peccadilles qui nous contrarient. Mais pour les incidents répétés ou dépassant les limites de l'acceptable, il faut commencer à songer à l'écrit. Si vous faites face à une situation vraiment outrageante et si l'avertissement verbal n'a absolument rien donné, une lettre devient nécessaire. L'écrit a l'avantage de constituer une preuve. De plus, l'écrit indique que vous avez pris des mesures pour faire cesser la situation. En d'autres mots, vous n'avez pas pris part volontairement à l'incident et vous n'avez pas accepté un tel rapport de force.

Dans tous vos écrits, inscrivez l'heure, la date et l'emplacement où l'événement en question s'est produit. Décrivez les actions qui vous ont dérangé et identifiez la personne qui les a commises. S'il y avait des témoins, écrivez leur nom, leur rôle dans la situation, les interventions qu'ils ont faites, s'il y en a eu, et toutes les autres informations qui pourraient être pertinentes. Ajoutez les actions et événements qui ont précédé et suivi la situation, y compris l'avertissement verbal et la rencontre avec votre patron, par exemple. En quelque sorte, prenez note de tous les renseignements qui pourraient vous servir ultérieurement.

Conservez toutes les preuves matérielles, comme ces écrits, les courriels injurieux, les mémos que vous auriez dû recevoir, mais qu'on a omis de vous donner, etc. Créez un dossier et inscrivez les différents événements dont vous avez été victime qui faisaient partie, selon vous, du harcèlement psychologique, tel que vous le connaissez maintenant à la lumière de votre lecture. Ajoutez les effets que chacun de ces événements a provoqués sur vous : conséquences physiques et psychologiques, problèmes familiaux dus au stress, etc. Si, plus tard, vous obtenez un dédommagement, vous avez alors des faits écrits.

Le harcèlement ne se manifeste pas seulement par des insultes, mais il se présente aussi à travers des gestes. Par exemple, comme nous l'avons vu auparavant, on peut vous demander de faire des tâches qui vont bien au-delà de vos compétences dans le seul but de vous mettre en situation d'échec. On peut aussi vous donner des tâches dégradantes pour vous humilier. Imposer ses limites passe alors par le refus. Il faut oser dire non. Toutefois, vous n'êtes pas obligé de vous opposer violemment. Sachez user de diplomatie. Il existe différentes façons de rejeter une demande. Une première façon est le non catégorique : un refus émis sur un ton ferme qui ne laisse aucune ouverture. Si le refus catégorique vous intimide, vous pouvez accepter en imposant des conditions. C'est la deuxième façon d'émettre un refus. Cependant, ces conditions doivent être énoncées clairement. Vous pouvez même les inscrire dans votre agenda aux yeux de l'autre personne. Si possible, limitez la tâche dans le temps ; mettez une échéance. Mais faites en sorte que celle-ci ne vous cause pas de pression supplémentaire. L'échéance devrait vous aider, pas vous restreindre. Par exemple, vous pourriez répondre : « Écoute, je vais faire cette tâche seulement si j'ai le temps, compte tenu de mes autres priorités. Je l'inscris dans mon agenda et je vais essayer de l'exécuter d'ici deux semaines. Si en date du… j'ai eu trop de travail pour compléter celui-ci, je te remettrai la tâche. » Remarquez que la condition est bien claire : les priorités passeront en premier. La communication est notée dans l'agenda et la tâche sera remise entre les mains du demandeur à une date précise.

Les conditions, bien définies et décidées par vous, vous permettent d'alléger le fardeau, de rendre la proposition plus acceptable. De plus, si vous notez ces conditions, vous pourrez vous y référer plus tard au besoin. Faites attention, votre harceleur peut vous tendre toutes sortes de pièges. Il lui est facile de vous reprocher de ne pas mettre vos tâches à exécution et il peut aussi aisément remettre en question la qualité de votre travail. Imposez donc une limite quant à ce que vous avez accepté de faire.

Certains mots sont utiles pour émettre vos conditions. Ce sont les « si », « mais », « à condition que » ou encore « d'accord, je ferai cela, mais… ». N'oubliez tout de même pas que vous rendez service ! Alors faites-le à l'intérieur de *vos* limites.

Il y a toutefois des situations dans lesquelles accepter sous conditions n'est pas approprié. Dans les cas, par exemple, où vous ne voulez tout simplement pas faire telle ou telle tâche, quelles que soient les conditions. Suggérer à la personne d'autres solutions est une méthode utile pour vous sortir de ce type de situation. Vos réponses peuvent alors ressembler à ceci : « Je comprends que…, mais je n'ai pas le temps ni les moyens de faire cette tâche ; je pense cependant que vous pourriez… » et vous donnez des suggestions. Ou encore : « Comme je n'ai pas le temps ni les moyens de faire ceci, pourquoi ne demanderiez-vous pas à… » ou « Pourquoi ne prendriez-vous pas tel ou tel moyen pour essayer d'exécuter le travail vous-même ? »

Dans une situation de harcèlement, il est facile pour le harceleur d'utiliser votre réponse à son avantage : « Comme d'habitude, tu n'as pas le temps ! Tu n'es jamais capable de rien faire ! » Ne tentez pas de vous excuser ou de vous défendre. Ne vous sentez pas coupable de refuser et ne cherchez pas non plus à être le sauveur de sa situation. Si vous sentez la colère monter, puisque vous êtes en train d'essayer de l'aider et qu'il ne démontre aucune appréciation, essayez de contrôler vos émotions. Restez-en aux faits : vous ne pouvez pas faire ce travail pour telle ou telle raison et vous suggérez une solution. Exprimez les faits clairement et terminez toujours par une solution de rechange, mais arrêtez-vous là. Si cette dernière option ne lui plaît pas, c'est son problème. Si vous n'en avez pas sur le moment, dites que vous allez y penser. Surtout, ne prolongez pas la conversation outre mesure.

Finalement, il y a des situations dans lesquelles un refus catégorique est absolument de mise. Il faut savoir dire non, même si ce n'est pas facile. Votre position est simple : vous ne pouvez pas ou vous ne voulez pas, *un point, c'est tout.* Vous pouvez vous expliquer, *si vous le désirez,* mais ce n'est pas nécessaire ; votre refus est une réponse suffisante. Voici un cas où le refus catégorique était nécessaire :

> Mon harceleur voulait que je partage mon bureau avec une autre collègue. Il disait que nous devions réduire les équipements et que l'espace manquait. Après avoir insisté pour connaître les détails, il m'a expliqué qu'elle aurait mon bureau 75 % du temps et moi, seulement 25 % ; en plus, elle pourrait avoir ma chaise à 100 % ! J'étais supposée faire mon travail debout ! Je perdrais mes classeurs pour lui faire de la place et je devrais mettre mes choses dans des boîtes ! J'ai carrément refusé ! Ce n'était qu'une autre tentative d'intimidation de mon harceleur. Après enquête, j'ai appris que cette collègue n'était nullement au courant de cette idée et qu'elle aurait, elle aussi, clairement refusé. Connaissant mon harceleur, il aurait probablement trouvé une excuse pour m'expliquer que ces plans ne tenaient plus, mais j'aurais alors déjà déplacé toutes mes choses pour rien. Cette manœuvre ne servait qu'à lui donner le sentiment d'avoir du pouvoir sur moi. Je me serais sentie ridicule et j'aurais perdu du temps inutilement, ce qu'il aurait eu grand plaisir à me reprocher.

Sachez cependant que le harceleur a de la difficulté avec le refus catégorique. La majorité du temps, il ne vous écoute pas. Vous n'avez pas d'importance dans sa vie. Il n'entend donc même pas votre réponse ! Il ne veut pas y croire. Vous devrez donc la lui répéter, continuellement, à chaque demande. Un peu comme un disque qui saute. Cela peut donc prendre un certain temps avant qu'il ne constate vos limites et les respecte. Malheureusement, il est aussi possible qu'il ne les respecte jamais. Mais ne lâchez pas, car vous vous sentirez néanmoins fier de vous être respecté vous-même !

Finalement, diversifiez vos façons de poser vos limites. Si vous mettez des conditions chaque fois qu'une demande vous est faite, votre harceleur peut utiliser la répétition à son avantage : « Ah, oui, ma collègue qui adore les conditions ! Pas capable de prendre les tâches telles qu'elles se présentent!» Il peut réussir à vous dépeindre comme étant quelqu'un qui a des faiblesses. Aussi, si vous refusez toujours catégoriquement, vous pouvez vous retrouver en terrain de guerre. Déroutez votre adversaire. Utilisez différentes avenues pour émettre vos limites.

Exiger le respect de ses droits

Voyez à votre survie avant tout! Exigez le respect de vos droits: vous en avez. Il existe des droits reconnus aux travailleurs dans la société où vous travaillez. C'est plus que du pain et de l'eau! Elles font partie du droit du travail, de votre convention collective, de la culture de votre entreprise. Si, par exemple, vous deviez participer à un congrès en guise de formation additionnelle et que votre patron décide soudainement que vous n'y participerez plus, et si la formation continue est recommandée par l'entreprise et a toujours été encouragée auparavant, vous avez le droit de connaître les raisons de ce changement de cap. Exigez de votre patron qu'il justifie sa décision. Si vous ne croyez pas que ses arguments soient suffisants, portez plainte aux ressources humaines ou au supérieur de votre patron. Si vous avez droit à un remboursement pour des cours suivis, mais que votre patron essaie de vous priver de votre dû, faites valoir vos droits. Lorsque l'on omet de vous partager une information, une ressource ou un bénéfice que vous êtes en droit d'avoir, vous pouvez dire à la personne responsable que vous vous attendez à ce que tout ce qui touche vos tâches et votre emploi vous soit divulgué et partagé, faute de quoi vous porterez plainte. Et notez les manques!

Vous êtes aussi en droit de recevoir des propos respectueux de la part de vos collègues et supérieurs. Vous avez le droit d'exiger que vos conversations restent professionnelles et qu'elles ne tombent pas dans le domaine personnel. Vous avez aussi le droit de recevoir des messages clairs, ne comportant pas de double sens. Lorsque quelqu'un utilise un message à double sens, il exerce une pression sur vous, car il provoque chez vous de la confusion. Il se sert de cette confusion pour vous déstabiliser et, ainsi, tenter de gagner du terrain. Par ailleurs, l'humour malsain par lequel on se moque de vos points faibles n'a pas sa place, si cela vous met mal à l'aise.

Toutefois, vous devez faire preuve de diplomatie en exprimant vos droits. Faire valoir ses droits est trop souvent interprété comme étant une déclaration de guerre. Faire pression sur un harceleur peut le motiver encore davantage à attaquer. Faites attention. Agissez avec diplomatie et fermeté. Sachez avoir une main de fer dans un gant de velours !

Se tenir occupé

L'être humain se met souvent à déprimer lorsqu'il est isolé et quand il reste trop longtemps à ne rien faire. Son esprit vagabonde alors dans des déserts trop arides et cela peut le rendre fou. Il se peut que le harceleur vous ait isolé au travail avec plus rien à faire : plus aucun rapport avec les autres employés, plus d'outils de travail, plus de tâches signifiantes à accomplir. Le harcèlement psychologique peut aller jusque-là.

Ne le laissez pas vous détruire ainsi. Créez vos propres tâches. Accomplissez les tâches faciles qu'il vous demande et ajoutez-en que vous choisissez vous-même. Occupez-vous ! Même si vos initiatives sont par la suite détruites ou ne sont jamais mises à profit, gardez-vous occupé. Cherchez des nouvelles façons de faire votre travail, d'améliorer la répartition des tâches, de communiquer les nouveautés. Faites des plans, écrivez des rapports, trouvez de nouvelles idées. Offrez votre aide à vos collègues. Faites-le par écrit. D'une part, cela les informe de votre situation ; d'autre part, cela laisse des traces, des preuves que vous avez essayé d'améliorer la situation. À la limite, si votre harceleur vous a laissé si peu de choses à faire que vous avez la majorité des heures de travail sans aucune tâche à accomplir, faites les choses que vous feriez à la maison. Faites votre budget, écrivez vos lettres, lisez des livres, etc. Cependant, assurez-vous que votre journal de bord indique que vous avez demandé plus de tâches à votre supérieur, et ce, à répétition, que vous vous êtes plaint de ne pas avoir assez de travail par rapport à votre description de tâches, etc., et que vous êtes demeuré sans réponse. Écrivez aussi que vous cherchez à vous garder occupé.

Faire enquête

Toute bonne défense ou bataille exige que l'on apprenne à connaître notre adversaire. On doit identifier ses forces et ses faiblesses. Qui sont ses amis et ses ennemis? Quelles stratégies d'affrontement utilise-t-il? Pour connaître votre adversaire, vous devrez observer, écouter et faire enquête. En plus de vous permettre de vous familiariser avec ses tactiques, vos enquêtes peuvent aussi vous apporter des preuves. Si le harceleur vous tend des pièges, vous pourrez peut-être les mettre au jour. Car il y a des gens qui savent si bien s'arranger pour qu'un pépin arrive et provoque un sabotage de votre travail! Parfois, ce genre d'individus ont de surcroît l'art de se présenter comme les sauveurs qui réparent le gâchis! Si vous avez des raisons réelles et objectives de croire que vous êtes victime de coups de la sorte, il vous faudra faire enquête.

Mener une enquête n'est pas chose facile. Il faut se renseigner sans en avoir l'air. Il faut prendre des notes. Ne vous fiez pas seulement à votre mémoire. Pensez aux policiers lorsqu'ils font enquête; ils ne se fient pas à leur mémoire. Faites de même. Récoltez plus d'une preuve. Distinguez les faits des perceptions. Inscrivez ce qui est mesurable, vérifiable et concret. Et ne sautez pas trop vite aux conclusions! Lorsque vous avez récolté un certain nombre de preuves de qualité, pensez à ce que vous voulez en faire. Peut-être vaut-il mieux les garder pour plus tard? Allez-vous confronter le ou les responsables? Comment? Est-ce que cela pourrait vous permettre d'améliorer vos conditions? Aurez-vous des témoins ou devrez-vous faire cavalier seul? Réfléchissez à tout cela afin d'éviter de commettre une erreur.

Demeurer discret

Si connaître votre ennemi est une bonne technique de défense (et d'attaque, si besoin est), faire en sorte que celui-ci connaisse le moins possible vos propres points forts et vos faiblesses est tout aussi important.

Votre harceleur a besoin de munitions pour harceler. Pour vous heurter, il se base sur ce qu'il connaît de vous, de votre personnalité, de vos désirs, de vos ambitions professionnelles, de vos activités sociales, etc. Plus il en connaît sur votre vie personnelle et professionnelle, plus il a d'armes contre vous. Il utilisera absolument tout ce qu'il a en son pouvoir, comme vous pourrez le constater dans le cas suivant :

> Le harcèlement psychologique que j'ai subi a commencé suite à un congé de maladie qui s'est prolongé. J'étais désemparée. Lorsque j'ai appelé mon supérieur immédiat pour l'informer de mon absence, j'ai discuté avec lui et lui ai donné certains détails concernant ma dépression. J'étais en pleurs. Mon médecin venait de m'annoncer que j'en avais pour quelques mois de repos et cela m'apparaissait comme une montagne. Moi qui n'avais jamais manqué plus de trois jours d'affilée pour raison de maladie en vingt ans de carrière ! Je lui ai aussi confié que mes problèmes de couple avaient probablement ajouté à mon stress. Je n'en avais pas parlé à personne d'autre au travail : j'étais en pleine instance de divorce. Mon conjoint, qui possédait une compagnie, s'était organisé pour que je n'aie pas droit à nos biens communs, transférant des sommes d'argent à la compagnie, qui était à son nom, et hypothéquant de nouveau la maison à mon insu. Mon avocat me disait que je récupérerais probablement l'argent auquel j'avais droit, mais l'insécurité me déstabilisait grandement. Ajoutons que j'avais appris qu'il m'avait été infidèle et que sa nouvelle compagne était maintenant enceinte ! Mon mari allait avoir des enfants issus de deux unions différentes. J'étais inquiète pour l'avenir de mes enfants. Pendant mon absence et lors de mon retour, mon patron a disséminé des propos à l'effet que je méritais ce sort, que j'étais « faible », que mon soi-disant manque de féminité devait être la cause de l'infidélité de mon mari, etc. Par de subtils sous-entendus insérés dans les conversations, il a su complètement manipuler mes collègues. Ceux-ci ont perdu tout esprit critique ou se sont pliés à son opinion en raison de l'autorité qu'il détient, à moins qu'ils en aient profité pour obtenir des faveurs en retour de leur allégeance. Je ne sais plus. Alors que j'étais auparavant une collègue de travail appréciée des autres, j'étais dorénavant

perçue comme étant quelqu'un qui profitait du système, qui n'était pas capable de surmonter une épreuve de vie pourtant devenue courante dans notre société, et comme étant quelqu'un qui méritait un tel divorce en raison de ma stupidité, de mon manque de féminité, etc. Mon patron s'était servi des détails concernant ma dépression et mon divorce que je lui avais communiqués en toute confiance lors de ces quelques conversations téléphoniques. Mes informations auraient dû se limiter à ma date de retour et aux données nécessaires à la gestion administrative d'un congé pour raison de maladie.

Protégez intimement les détails de votre vie personnelle. Vous ne savez jamais quand vos confidences peuvent se retourner contre vous. Les détails peuvent être exagérés, mis hors contexte et manipulés de maintes façons. Le harceleur se sert de tout ce qu'il a en main pour vous discréditer. Ne lui donnez pas ces munitions.

Il est normal de parler de soi aux autres, d'exprimer nos joies, nos projets, nos espoirs, nos frustrations, nos difficultés, nos problèmes. Nous le faisons tous. Il est difficile, pour certains plus que pour d'autres, d'éviter de se confier aux gens que l'on côtoie tous les jours. Surtout lorsque les temps sont difficiles! On a besoin de soutien, d'encouragement, d'empathie. Malheureusement, c'est dans ces moments-là que l'on est le plus vulnérable.

Il y a effectivement des limites à ce que l'on devrait confier à d'autres en milieu de travail; il faut aussi prendre garde à qui l'on s'adresse. Il faut faire très attention. Il n'y a pas de règles générales, car la personne en qui on avait parfaitement confiance peut se révéler être très différente lorsqu'elle se retrouve devant des choix difficiles ou des opportunités alléchantes. Eh oui, les opportunistes existent! Alors ne partagez pas trop de détails en ce qui concerne votre vie privée: vos problèmes de santé, votre vie de couple, vos difficultés avec vos enfants, vos ennuis financiers, etc. N'oubliez pas vos réussites; elles suscitent facilement l'envie et la jalousie. Il vaut mieux faire très attention lorsqu'on les partage. Par exemple, si vous avez fait de bons investissements en Bourse et obtenu des gains importants, gardez-le pour vous.

Cependant, soyez indulgent envers vous-même. Il est impossible de ne pas communiquer à ceux avec qui nous travaillons certains détails personnels. Inévitablement, on parle un peu de notre conjoint, de nos enfants, de tout ce qui fait partie de notre vie. Alors si vous avez parlé un peu plus que vous ne l'auriez souhaité, soyez conscient que vous n'êtes pas le seul à qui cela est arrivé.

Se renseigner

Il ne suffit pas de connaître son adversaire ; en savoir plus sur votre compagnie peut également vous être grandement utile. Renseignez-vous sur la mission de l'entreprise. Elle est probablement écrite quelque part. Si vous avez l'intention de vous défendre, vous devriez vous en procurer une copie et tenter de voir en quoi elle peut être utile à votre dossier. Prenez bien note des tâches et de la position que vous occupez, des résultats que vous avez obtenus au travail, et voyez si cela cadre avec la mission de l'entreprise. Obtenez une copie de votre dossier personnel conservé aux ressources humaines. Notez vos succès. Renseignez-vous à propos des valeurs et de la culture générale de votre entreprise. Prenez-en note pour votre défense, si nécessaire. Connaissez les ressources d'entraide qui peuvent exister dans votre communauté, votre société, votre entreprise. Informez-vous à savoir s'il y a déjà eu des cas semblables dans la compagnie ou, mieux, s'il y a déjà eu des problèmes avec le même individu. Rencontrez votre représentant syndical, si vous êtes syndiqué, et évaluez sa capacité à vous aider. Parlez-lui de votre plan d'action ou construisez-en un ensemble. Travaillez en partenariat.

Rencontrez votre médecin et/ou d'autres professionnels de la santé qui peuvent vous assister. Informez-vous sur les organismes qui offrent du soutien. Rencontrez la personne en charge des relations de travail et voyez si quelque chose peut être fait pour vous alléger le fardeau. Peut-être pourriez-vous obtenir une mutation sans subir aucune perte ? Renseignez-vous sur vos droits, vos possibilités et les moyens qui se trouvent dans votre milieu. Ne pensez pas qu'il n'y en a pas, car il est fort probable qu'il en existe quelques-uns.

Se défendre

Il peut survenir un moment où vous devrez vous défendre et porter plainte contre l'individu qui vous incommode, afin que cesse tout harcèlement. Vous pouvez vous plaindre à votre employeur, soit à votre patron immédiat ou plus haut dans l'échelon hiérarchique, à votre syndicat (en plaçant un grief), à la Commission de santé et sécurité au travail (au moyen de la loi sociale), à la Commission des normes du travail ou opter pour tout autre moyen juridique. Je vous parlerai plus loin des moyens que vous avez sur le plan de la justice, ainsi que des différents organismes qui sont susceptibles de pouvoir vous aider dans ce domaine.

Soyez prudent, cependant, lorsque vous déposerez une plainte ou quand vous parlerez au responsable des ressources humaines ou aux gestionnaires des différentes instances de votre entreprise. Malgré toutes les bonnes intentions des personnes qui sont en charge du bon fonctionnement de l'entreprise, les recherches ont jusqu'ici démontré que l'inaction des gestionnaires semble être une partie de la problématique. Ils ont certaines réticences à croire le bien-fondé d'une plainte. La première raison est d'ordre psychologique : les gestionnaires n'aiment pas entendre que les choses vont mal dans un de leurs services. L'autre raison pourrait être économique : certaines pratiques de gestion et de motivation sont elles-mêmes, en fait, des techniques de manipulation ayant pour but d'augmenter les ventes et la productivité. De plus, force est de reconnaître qu'il est difficile pour le chef d'une grosse entreprise de savoir vraiment ce qui se passe en bas de l'échelle. Il risque de prêter davantage attention à la version de ses gestionnaires des instances plus près de lui qu'à celle de l'employé du bas. Alors, plus spécialement si vous êtes victime d'un harcèlement hiérarchique, faites attention lorsque vous portez plainte.

Le mieux est de procéder par étapes. Vous devriez d'abord demander verbalement à votre agresseur d'arrêter son comportement destructeur. Si une demande ferme n'apporte aucun changement, refaites-en la demande, mais, cette fois-ci, par écrit et faites référence à votre demande verbale antérieure. En même temps, faites connaître vos difficultés à vos collègues dans les conversations que vous avez avec eux ou en glissant un mot à ce sujet dans vos mémos. En troisième recours, si votre agresseur vous harcèle toujours, portez plainte formellement aux ressources humaines, à son gestionnaire supérieur (qui peut aussi être le vôtre, dans le cas d'un harcèlement par des collègues), au chef de l'entreprise ou à votre syndicat — bref, à la personne qui vous apparaît la mieux placée pour vous apporter son soutien. Démontrez à votre harceleur que vous ne resterez pas sous silence. Montrez-lui la portée de ses actes. En aucun cas vous ne devez laisser votre harceleur s'en prendre à vous physiquement ou s'attaquer à vos biens personnels. Je ne pense pas non plus que vous devriez le laisser vous attaquer sur les plans psychologique et émotionnel, mais étant donné que ces attaques sont plus insidieuses, il se peut que vous ayez plus de difficulté à contre-attaquer. Les attaques physiques sont plus faciles à prouver et vous vous devez de réagir, puisqu'il en va de votre sécurité. Si vous vous sentez réellement menacé, vous pouvez déposer une plainte au criminel. Vous pouvez aussi déposer la plainte auprès de la Commission des normes du travail du Québec.

S'outiller ! Créer une mutinerie !

Une fois que vous avez pris les armes, vous pouvez vous attendre à ce que votre harceleur vous attaque de plus belle. Même les patrons pour qui vous travaillez, vos collègues, votre syndicat ou vos proches peuvent être durs avec vous. Ne vous attendez pas toujours à obtenir de l'aide immédiatement. Il est possible que vous en receviez, mais il est probable que vous vous sentirez bien seul et que justice ne se fasse pas aisément. Si votre entreprise dispose d'un bon système d'encadrement, il se peut que tout se passe bien et que le harcèlement soit dénoncé et arrêté. Malheureusement, ce n'est souvent pas le cas. Maintenant que vous avez ouvertement annoncé que vous vous défendrez, que vous êtes prêt pour la bataille s'il le faut, vous devriez peut-être vous outiller, pour assurer le plus possible votre survie.

Voici les outils que je vous propose. Essayez la visualisation : par exemple, imaginez-vous partir à l'attaque avec Peter Pan. Ayez des pensées positives qui vous permettront de voler. Ou encore, moquez-vous intérieurement de votre assaillant. Cela vous permettra de dédramatiser la situation dans votre esprit et, ainsi, de réagir moins fortement aux manœuvres de votre adversaire. Vous maintiendrez donc votre équilibre psychologique et vous n'aurez probablement plus, face à votre agresseur, les réactions auxquelles il s'attend. En variant vos réponses, vous le désarçonnerez encore plus. De cette manière, vous créerez une véritable mutinerie pour contrer ses attaques. Ce n'est pas le type de mutinerie dans laquelle vous devez vous-même agresseur. C'est plutôt une manière de contrecarrer les assauts du harceleur en vous prémunissant contre lui de l'intérieur et en le déroutant, si possible. La forme de mutinerie que je vous propose vous permettra de vous sentir maître de vous-même. Elle vous donnera du pouvoir. Même si, parfois, ce pouvoir ne sera que symbolique, votre corps et votre esprit en seront renforcés. Pendant la bataille, qui peut se prolonger sur des mois, voire des années, vous devez trouver des moyens pour conserver votre énergie. Vous serez étonné combien ces techniques peuvent vous aider à vivre plus «légèrement» la situation de harcèlement. Il est aussi possible que, à votre grande surprise, certains employés se joignent à vous en cours de route, même si vous n'aviez pas misé là-dessus.

Servez-vous de l'humour et du jeu

L'humour est une excellente façon de faire face à des situations difficiles dans nos vies. Il nous permet de se relaxer. Il nous offre l'occasion de changer notre perspective sur les événements et de prendre nos distances. Il nous enlève, de façon temporaire, un poids sur les épaules. Il préserve notre estime de soi et il se peut même que votre entourage gagne aussi de l'estime envers vous.

Vous pouvez également utiliser l'humour avec votre agresseur. Cela devrait le déstabiliser. Votre humour ne doit cependant pas être déplacé ou prendre qui que ce soit pour cible. Ne devenez pas vous-même agresseur ! Mais vous pouvez répondre du tac au tac. Il vous fait une remarque affreuse ? Répondez avec quelque chose d'affreux pour lui et partez à rire en disant : «On fait une bonne équipe nous deux !» Vous venez de dédramatiser la situation et vous le désarmez.

Vous n'êtes pas habitué à l'humour? Les phrases ne vous viennent jamais à l'esprit rapidement? Préparez-en quelques-unes à l'avance. Faites une recherche à la bibliothèque et consultez un recueil d'humour. Apprenez quelques citations. Lorsque vous assistez au spectacle d'un humoriste, retenez certaines phrases typiques. Apprenez comment ce dernier se sert de l'exagération pour nous faire rire. Faites de même! Exagérez! Moquez-vous de vous-même! Il est difficile de détester quelqu'un qui se moque de lui-même. Commencez à lire les bandes dessinées dans les journaux si vous n'en avez pas l'habitude. Découpez celles que vous trouvez drôle et gardez-les à portée de la main. Vous pouvez aussi consulter les livres de *Dilbert,* en particulier ceux qui caricaturent le monde du travail. Dites aux gens autour de vous que vous aimeriez recevoir des courriels de pensées sages ou humoristes et faites-en provision. Devenez membre d'un club de rire. Vérifiez sur Internet, il en existe peut-être dans votre région. Pour commencer, en voici un: www.vivreheureux.com. Vous trouverez sur ce site des clubs de rire à Montréal et à Québec, ainsi que des liens vous acheminant vers d'autres sites de renseignements.

Une autre forme d'humour: amusez-vous pour faire contrepoids à l'agression! Transformez votre corbeille à papier en panier de basket-ball et imaginez un match contre votre harceleur. Chaque lancer qui est manqué lui appartient alors que les gagnants sont les vôtres. Apprenez des tours de magie et attirez l'attention de vos collègues; vous briserez ainsi votre isolement. Apportez de la musique, un disque que vous aimez bien. Mieux, un disque que vous savez que votre tyran déteste. Mais ne le provoquez pas! Faites-vous livrer des fleurs ou un certificat de mention et intriguez votre harceleur. Prenez de l'air à l'heure de lunch et des pauses. Achetez-vous un petit cadeau, de temps à autre. Affichez votre valeur avec humour dans votre bureau: donnez-vous des diplômes pour vos plus belles qualités. Fabriquez-les à l'ordinateur ou demandez de l'aide à un ami, et mettez-les bien en vue. Votre harceleur ne manquera pas de les voir et probablement de s'en moquer, mais, s'il conteste les qualités inscrites, dites-lui que c'est son opinion, pas la vôtre et, de toute évidence, pas celle de l'auteur du diplôme qui vous a été donné! Puis gardez le responsable du diplôme secret...

Utilisez votre imagination

L'imaginaire a énormément de pouvoir. On oublie souvent de l'utiliser. Voici des exemples que vous pouvez utiliser, mais ne vous limitez pas à ces quelques suggestions. Établissez vos propres façons de faire.

Identifiez d'abord les phrases et les actions que vous acceptez de la part d'autrui et celles qui dépassent les limites. Prenez du recul et ne laissez pas de tels propos vous affecter. Bloquez leur effet ou trouvez des moyens pour vous redonner de la force. Cela se passe dans votre tête.

Si vous tentez de bloquer les attaques, vous pouvez vous imaginer que vous débranchez le contact. Par exemple, imaginez que vous fermez la télévision (les attaques et les menaces sont comme un mauvais téléroman qui ne vous intéresse pas). Ou visualisez que vous raccrochez le téléphone à votre adversaire ou que votre téléphone fonctionne mal et que vous n'entendez rien. Votre oreille est soudainement sourde ou un bourdonnement cache les sons. Chaque fois que le harceleur entre dans votre bureau, vous imaginez une prise de courant. Vos émotions sont dans votre ventre et un cordon le raccorde à la prise de courant. Aussitôt qu'il se met à vous menacer, à vous dire des propos désagréables, vous détachez le cordon de la prise de courant. Ou encore, le cordon est attaché à un casque d'écoute. Ce genre de visualisation peut vous permettre de vous détacher des émotions suscitées par les attaques.

Pour ce qui est des moyens vous redonnant des forces, en voici quelques exemples. Bâtissez un ou des murs devant le propos fâcheux du harceleur. Rien ne peut traverser ces murs lorsqu'ils sont montés. Si votre mur se brise, ajoutez-y du ciment pour le réparer aussitôt. Dites-vous que vous possédez des tonnes de ciment et que vous êtes le meilleur briqueteur en ville. Ces murs, une fois érigés, vous entourent complètement. À l'intérieur de vos murs, vous possédez plus que du ciment; vous avez aussi fait provision d'une quantité plus que suffisante de briques et de tous les outils nécessaires pour renforcer votre mur. Vous avez même des poteaux de signalisation, car vos murs constituent une vraie forteresse. Vous pouvez y ajouter un gros signe d'Arrêt ou de Détournement pour construction. En face de votre interlocuteur, cela peut vous être d'un grand secours. Lorsque votre mur fait défaut ou quand vous n'avez tout simplement pas envie de l'ériger, pourquoi ne pas montrer à votre assaillant que vous pourriez lui lancer une brique de temps à autre et que cela pourrait lui faire plutôt mal ? Peut-être pourriez-vous aussi le menacer de lui administrer un petit coup de marteau ? Cela devrait faire bondir votre assaillant, n'est-ce pas ? Imaginez que vos signaux de détournement et d'arrêt ont un pouvoir incroyable sur lui. Devant eux, il est forcé de s'arrêter ou il doit faire des détours sans fin. Montrez à votre attaquant que vous n'êtes pas sans combativité. Même si tout se passe dans votre tête et bien que vous ne mettrez rien de ceci à exécution, cela devrait vous donner un sentiment de force et de pouvoir. Vous serez étonné de l'effet que cela aura sur vous. Vous pouvez aussi mettre des images de ces murs, de ces forteresses ou de toutes autres représentations dans votre bureau pour vous rappeler de les utiliser.

Visualiser est d'une grande aide lorsque l'on est dans des situations difficiles. Une autre façon de sentir que l'on a une emprise sur notre harceleur est de visualiser les fantasmes mesquins que l'on a envers lui. Par exemple, imaginez que des petits démons l'entourent et que chaque fois qu'il vous agresse, ces derniers lui jouent un mauvais tour, pire que celui que vous avez subi ; par exemple, il lui manque quelque chose dans son bureau ou autre chose de désagréable lui arrive. Ou il se rend compte que ses bas sont roses éclatants et qu'il a l'air fou. Les petits démons ont changé ses bas et il n'ose plus sortir de son bureau, car il a l'air idiot avec ses bas roses ! Ou encore, imaginez que les démons l'attendent dans son bureau pour laisser tomber un poids très lourd sur sa tête. Que son patron l'a vu vous insulter et qu'il l'attend pour le congédier sur-le-champ. Utilisez votre imagination et amusez-vous. Si vous êtes vraiment bon à ce petit jeu, vous pouvez même en rire seul.

Vous pouvez aussi mettre votre petite histoire sur papier ou la dessiner. Vous pouvez ensuite déchirer ce papier ou le mutiler à votre goût. Cracher dessus, y mettre le feu, le piétiner, sont des façons d'évacuer les tensions. Vos fantasmes mesquins, comme je les appelle, vous feront un petit velours même s'ils demeurent virtuels.

Bien sûr, vous devez absolument garder ceci au niveau imaginaire, à l'exception du papier. Cependant, je vous déconseille de dessiner un démon sur un papier, de le mutiler, d'y écrire des phrases assez révélatrices sur votre collègue ou votre patron et de le lui donner ou de le laisser sous ses yeux. Cela peut devenir un outil de menace et vous devenez alors vous-même agresseur. Si vous dessinez quoi que ce soit, gardez-le pour vous et assurez-vous que personne ne peut le voir. Ne recourez donc à ce type de violence qu'en imagination et si vous exprimez vos frustrations sur du matériel concret tel que le papier, gardez-le pour vous ou jetez-le lorsque vous êtes satisfait !

Visualiser des choses positives peut aussi vous aider. Utilisez, par exemple, l'image de la lumière. Elle vous envahit. Elle vous protège. Elle vous guérit. Elle répare les traumatismes causés par les menaces et les attaques. Elle est douce et apaisante. Elle est votre amie, votre alliée. Lorsque votre assaillant vous menace, vous la visualisez immédiatement. Toute bleue, elle vous enveloppe et les cris de votre assaillant ne vous font aucun effet. Ils rebondissent. Pendant ce temps, vous êtes plein d'amour malgré toute la violence qui se dégage de votre harceleur. Lorsque vous devenez vraiment habile avec cette façon de faire, vous pouvez même envelopper votre adversaire de cette lumière.

Utilisez ces techniques pour vous protéger. Ne commencez pas à essayer de changer le monde. Ne tentez pas de «guérir» votre harceleur. Les effets du harcèlement sont beaucoup trop pervers et n'oubliez pas que vous êtes tout de même dans un milieu de travail. Ce n'est pas un milieu favorable au traitement de soi. C'est pour cela que ces techniques ne sont que des moyens *rapides* et *utiles* dans le but de se protéger soi-même et de *s'aider* à faire face aux attaques. *Ne leur donnez pas un objectif plus grand.* Elles peuvent être utilisées à des fins thérapeutiques, seul ou avec l'aide d'un professionnel.

Libérez vos tensions et frustrations

Il existe une foule de techniques et de disciplines qui permettent d'évacuer le stress, que ce soit le yoga, le taï chi, le chi gong, etc. Ces techniques auront un effet bénéfique sur votre bien-être en général. Le but est de pouvoir rester calme et centré sur vos objectifs principaux. Lorsque votre patron ou collègue vient de vous injurier injustement et que vous vous rendez compte que vous êtes dans une situation de harcèlement, que faire dans l'immédiat ? Comment réagir, sous cette pression, en attendant de trouver un moyen de défense ? Vous pouvez choisir de pratiquer des techniques de relaxation. En voici une : prenez le temps d'inspirer par la bouche pendant quelques secondes. Ensuite, retenez votre souffle. Imaginez le harceleur et ses propos, et lorsque vous avez bien l'image en tête, expirez. Voyez comme ils sont maintenant sortis de vous. Répétez ces étapes quelques fois, jusqu'à ce que vous sentiez que les propos choquants ne sont plus en vous. Ensuite, imaginez quelque chose de très positif à vos yeux, comme recevoir une promotion. Respirez le positif et expirez le négatif.

Une autre méthode de relaxation consiste à compter jusqu'à dix lorsque la tension monte ou à chanter une petite chanson, lire une courte histoire ou une bande dessinée qui vous fait sourire, etc. Bref, il s'agit de vous forcer à procéder à un rituel positif pour couper la tension. Dans votre esprit, associez ce rituel à une décompression instantanée. Faites de l'imagerie mentale. Toutefois, sachez repérer les symptômes annonciateurs de stress afin d'appliquer ces rituels dès leur apparition.

Faites une activité qui vous aide à relâcher la tension de la journée. Prendre une marche, faire de l'exercice physique, faire une activité artistique, etc., sont des exemples d'activités bénéfiques.

Faire attention dans ses communications

Des mots qui font souffrir

Les mots ont une influence sur vous. Ils ont un pouvoir. Ils peuvent modifier votre manière de voir les choses. Votre perception de vous-même et votre façon de percevoir la valeur que les autres vous portent sont fortement influencées par les mots reçus.

Il y a des paroles qui détruisent, il y en a d'autres qui sont nécessaires. Une légende raconte qu'un roi, il y a de cela plusieurs siècles, voulait savoir quelle langue était la langue originelle de l'homme. Pour la trouver, il prit plusieurs bébés et demanda à ses servantes d'arrêter de leur parler. Ainsi, pensait-il, on saurait quelle langue est la langue innée de l'être humain. La première langue parlée par un enfant serait proclamée la langue officielle de l'homme, avait-il décidé. Les servantes devaient remplir tous les besoins des bébés — leur donner à manger, changer leur couche, les bercer et les cajoler —, mais en aucun temps pouvaient-elles leur parler. Eh bien tous les enfants sont morts! C'est dire à quel point la parole est d'importance chez l'être humain.

Vous pouvez donc imaginer qu'une victime de harcèlement psychologique qui se retrouve isolée ressent une grande douleur. Sa communication avec les autres, ses relations humaines, sont diminuées, sinon détruites, et cela fait très mal. Si les bébés en meurent, les adultes en souffrent beaucoup. D'ailleurs, l'isolement en prison n'est-il pas l'une des punitions les plus difficiles à supporter? D'un autre côté, lorsque des paroles abaissantes sont adressées à un individu, cela fait tout autant de mal. Le langage a le pouvoir de grossir vos faiblesses et de diminuer vos succès. Il est facile de mentir ainsi; il suffit d'utiliser l'exagération. Rappelez-vous-en. Le harceleur le sait et il s'en sert. C'est ainsi qu'il s'empare de votre estime de soi et de votre valeur professionnelle. Le cas suivant illustre le pouvoir de l'exagération. Lucie, une professionnelle, pensait avant tout à la justice lorsqu'elle avoua à son patron une erreur qu'elle avait commise dans un paiement envoyé à un employé. Elle avait fait un chèque de plus de deux mille dollars à un employé comme paiement de dépenses de travail alors qu'elle aurait dû envoyer ce paiement à un autre employé. Comme l'employé qui a reçu le paiement avait lui aussi des dépenses de travail, il ne s'est pas aperçu de l'erreur. Lucie ne s'est rendu compte de cette erreur que lorsque l'autre employé s'est plaint du retard dans le remboursement de ses dépenses. Elle ne savait pas si le premier employé était conscient de l'erreur; elle en conclut qu'il n'avait probablement pas fait de vérifications. Mais il verra son compte bancaire baisser; il devra alors remettre l'argent qu'il a reçu en trop. S'il a fait beaucoup de dépenses, il pourrait se retrouver avec des dettes. Lucie devait l'en informer afin que celui-ci prévoit de l'argent et qu'elle puisse redistribuer l'argent à l'employé qui attendait toujours pour le paiement de ses dépenses. Son patron reçut l'annonce de cette erreur en lui répondant qu'elle causait un dommage irréparable au premier employé ; par exemple, selon son patron, des soupçons de malhonnêteté avaient pesé sur le premier employé, lui causant ainsi préjudice. De plus, il y aurait des frais de banque à payer et le second employé aurait raison de poursuivre Lucie pour avoir fait une erreur si grosse et si stupide, etc. Bien sûr, l'erreur de Lucie n'était pas aussi grave que son patron le laissait entendre. Sa faute était réparable. La banque n'imposerait pas de frais supplémentaires et le premier employé a fait preuve de compréhension. Heureusement, il n'avait pas fait trop de dépenses. Il confirma que, même s'il avait été surpris de recevoir ce chèque, il n'avait pas poussé l'investigation plus loin. Si Lucie avait manqué de confiance en elle-même ou si elle avait eu peur de perdre son emploi, de telles paroles auraient pu influencer la perception qu'elle a de sa propre valeur au travail et elle aurait pu surestimer l'ampleur réelle de son erreur.

À l'opposé, il y a les mots qui banalisent vos succès. Nous avons vu que le travail satisfait plusieurs besoins et qu'il est important dans nos vies. Le temps de travail augmente de plus en plus. La relation que l'on entretient avec notre carrière est donc très intime et le travail occupe une place prédominante dans la vie de tout professionnel (par professionnel, j'entends tout homme ou femme qui œuvre en milieu de travail). Vous acceptez le fait que le travail vous aide à vous réaliser. Dès lors, lorsque votre travail bien fait est continuellement banalisé, votre soi en rapport au travail est diminué. Vous n'avez plus l'impression de faire quelque chose qui contribue à l'entreprise ou à la société. Vous n'avez plus le sentiment d'être productif et d'apporter une contribution valable. Éventuellement, vous ne distinguerez plus votre soi au travail et le reste de votre être, et votre estime de soi en général sera affectée.

Le harceleur peut utiliser une autre tactique : celle qui revient à attribuer le mérite d'un de vos succès à toute l'équipe de travail, alors qu'il vous appartient complètement. Bien entendu, son intention n'était pas de reconnaître un travail d'équipe bien fait ; son objectif était bien de saboter la reconnaissance qui vous revenait. Il en est de même lorsque quelqu'un diminue l'impact de votre succès en affirmant que tout le monde aurait pu en faire autant. Cela fait en sorte que votre succès ne vous appartient plus. Il n'est plus le résultat d'efforts, de persévérance et de rigueur au travail. Votre performance n'a rien de particulier, elle est seulement «dans la norme».

Vous avez sans doute déjà croisé un prophète de malheur qui pense toujours que rien ne marchera jamais. Si votre harceleur vous communique sans cesse qu'il ne pense pas que vous puissiez réussir, vous pouvez en être affecté. Pire, si celui-ci est en relation de pouvoir envers vous, il peut ajouter des actes à ses paroles en donnant, par exemple, le projet qui vous revenait à quelqu'un d'autre!

Une autre forme de manipulation par le langage consiste à utiliser des mots confus, vagues, afin d'éviter de confirmer vos succès ou de donner foi à vos idées ou décisions. Lorsque vous présentez une idée à laquelle vous avez longuement pensé et dont vous avez démontré les avantages, et que l'agresseur vous donne en guise de commentaire : «Je ne sais pas... cela semble flou... pas sûr que c'est complet et pensé... Cela vient de vous après tout...», celui-ci ne donne pas de direction précise à savoir ce qui, au juste, le fait hésiter. Ne pensez pas que ce type de communication appartient seulement aux personnes au pouvoir. Pensez au collègue dans votre équipe de travail qui ne cesse de vous répondre par ce genre de phrases lorsque vous proposez des projets. Ajoutez à cela qu'il réussit à vous convaincre que seules ses idées sont bonnes. Pire encore, il peut accepter vos propositions et affirmer au patron, lors de la remise du travail, que c'est lui qui est à l'origine des idées de base! Voyez comment, finalement, vous pouvez vous sentir exploité dans une situation semblable! Ne laissez pas les communications imprécises se poursuivre. Exigez de la clarté. Demandez à l'autre qu'il exprime le fond de sa pensée et, ensuite, défendez votre point de vue.

Bien sûr, ces descriptions ne sont pas exhaustives. Ce ne sont que des exemples pour démontrer comment la parole peut faire mal. Elle est source de terreur sournoise. Toute personne a besoin d'être reconnue et appréciée à sa juste valeur. De telles paroles ne rendent pas justice à votre travail.

La communication non verbale

La communication englobe plusieurs éléments. Outre la parole, les gestes qui l'accompagnent «parlent» d'eux-mêmes. La communication non verbale compterait, selon les experts, pour 55% à 80% — ou même 90%, selon certains auteurs — de la communication. En gros, les mots auraient 7% d'impact, la voix, 38%, et les gestes du corps et les attitudes qu'ils reflètent, 55% et plus. Les gestes accentuent ou diminuent le message véhiculé par les mots. Ils révèlent l'état psychologique de l'émetteur (la personne qui parle). Plusieurs livres sur le langage non verbal fournissent des explications sur la signification de divers gestes et mouvements. En voici quelques-unes. Lorsque les gestes de la personne qui parle sont retenus, faibles, mous et sans conviction, c'est qu'elle n'exprime pas ce qu'elle pense vraiment. En effet, consciemment ou non, lorsque nous voulons que notre message soit bien compris et que nous pensons réellement ce que nous disons, nous ajoutons des gestes amples et vigoureux à notre message. Nos mouvements ne sont nullement réprimés. Nous sommes en confiance face à nos propos et notre estime de soi est assez forte pour que l'on se sente en droit de dire ce que l'on pense.

Pour ce qui est des gestes de la main, ils sont regroupés en trois catégories. Les gestes ouverts, paumes tournées vers le haut ou vers l'interlocuteur, sont les gestes positifs. Ils mettent l'interlocuteur à l'aise et ils démontrent que l'émetteur est en confiance et cohérent avec son état psychologique. Il ne faut pas confondre ceux-ci, par contre, avec les gestes qui sont si ouverts et si larges qu'ils empiètent sur l'espace vital de l'interlocuteur. L'émetteur cherche alors à «prendre de la place». Ses gestes sont plutôt écrasants et ils dénotent un manque de respect envers l'autre.

D'un autre côté, il y a les gestes restreints, fermés, exécutés avec tension; ce sont les gestes négatifs. Si l'émetteur porte ses mains sur sa tête ou visage — que ce soit au niveau du menton, sous ou sur le nez, à l'oreille, à la bouche, dans les cheveux (à ne pas confondre avec les gestes de séduction), etc. — ou s'il cache ses mains dans ses poches ou dans le dos, vous pouvez déduire que votre interlocuteur est mal à l'aise.

Finalement, il y a les gestes de type «dénonciateurs». Ce sont tous ceux qui révèlent plus directement les véritables sentiments de la personne qui parle. Par exemple, la personne qui parle de son mariage à l'effet que tout va très bien et qui, curieusement, ne cesse de jouer avec ses alliances au même moment, comme si elle voulait les enlever…

Votre corps parle. C'est la raison pour laquelle on répond parfois brusquement à quelqu'un et que celui-ci ne comprend pas les motifs de notre colère soudaine envers lui, puisque les mots qu'il avait utilisés n'étaient nullement provocateurs. Il nous répond alors: «Eh, ne prends pas les nerfs!» Ou: «Que tu es susceptible!» La raison de notre irritation est que nous avons décelé chez l'émetteur un langage tout autre dans son corps, ses gestes, ses attitudes. Le ton de la voix, le volume utilisé, le regard fuyant ou insistant, l'expression du visage, sont tous des éléments qui appuient ou contredisent la communication émise par les mots. Les descriptions que j'ai données ne couvrent qu'une parcelle du langage non verbal. Écoutez, observez-vous et observez les autres afin de mieux comprendre le langage non verbal et la communication globale. N'oubliez pas que vous êtes aussi observé. On vient de voir que les gestes amples, sans être excessifs, donnent du pouvoir et de la conviction; servez-vous-en si vous êtes dans une situation de harcèlement et que vous avez besoin de faire valoir vos droits. Voyez comment vous pouvez faire des gestes qui donnent du poids à votre communication. Par exemple, lorsque vous posez vos limites et que vous levez vos bras devant, paumes tournées à angle droit devant votre interlocuteur en signe d'arrêt, vous augmentez la force de votre message oral. De plus, prenez le temps de lire le langage non verbal de votre harceleur. Avec l'expérience, vous pourriez être capable de déceler ses manœuvres de manipulation. Un bon exercice consiste à enregistrer sur vidéo une conversation sans l'écouter. Lorsque vous l'écouterez la première fois, enlevez le son et essayez de lire le langage non verbal. Ensuite, réécoutez l'enregistrement avec le son afin de vérifier vos observations. Parallèlement, lorsque vous analyserez les gestes de votre agresseur, vous prendrez ainsi du recul face à la situation et cela aura un effet positif pour vous.

Si vous choisissez de rester à votre poste malgré le harcèlement que vous subissez, il vous serait très utile de savoir lire les communications dans leur totalité. Et même si vous quittez votre emploi, il est probable que vous garderez quelques séquelles de cette expérience. Vous aurez peut-être un peu plus de méfiance dans vos relations professionnelles. Apprendre à comprendre de manière approfondie les messages d'autrui pourrait vous être utile. Quoi qu'il en soit, la violence relationnelle risque de supplanter de plus en plus la violence physique dans notre société. La violence relationnelle inclut la violence verbale et non verbale. Le harcèlement en fait donc partie. C'est pourquoi je vous invite à ajouter à votre répertoire de compétences la lecture du langage non verbal. Faites quelques lectures et exercices à ce sujet. Il existe d'excellents livres en librairie et dans les bibliothèques.

Les gestes révélateurs

Les travaux du professeur Leymann décrivent clairement le phénomène du harcèlement psychologique. Quelle que soit la raison sous-jacente qui fait qu'une personne en harcèle une autre, que ses actions soient perverses ou pas, qu'elles soient conscientes ou inconscientes, les victimes qui subissent de tels agissements en ressentent les effets néfastes. Des règles minimums de respect, tant sur le plan de la communication verbale que non verbale, sont en vigueur. Le milieu de travail a des protocoles qui ont pour but de protéger les travailleurs. Certains protocoles sont écrits, d'autres pas. Certains font suite à des lois sociales et deviennent des politiques internes, d'autres pas. Parfois, les règles d'éthique d'une entreprise peuvent aller au-delà de ces lois sociales. Elles ont pour but de créer l'harmonie. Malheureusement, ces écrits ne sont pas toujours mis en pratique.

La fin ne justifie pas les moyens en milieu de travail. Les moyens d'atteindre les objectifs de l'entreprise doivent demeurer exempts de violence psychologique, verbale ou non verbale. Par exemple, lorsqu'une personne est isolée ou qu'on lui enlève de façon permanente ses tâches et ses responsabilités sous prétexte de restructuration, ces actes parlent. Il n'y a pas de mal en soi à vouloir restructurer; c'est la façon dont on procède qui compte pour la personne qui en vit les conséquences. S'il existe la moindre intention cachée, si, par exemple, on veut se servir d'une prétendue restructuration comme excuse pour se «défaire» de quelqu'un et qu'un certain nombre d'actions typiques du harcèlement psychologique sont mises en place, alors les gestes faits n'ont plus pour fin la restructuration. Une mauvaise gestion peut être responsable d'un dérapage vers le harcèlement psychologique au travail. En temps de restructuration, l'administration devrait alors rassurer, conforter, s'occuper de la personne touchée. Si elle fait totalement le contraire, et, surtout, si une personne est plus visée que les autres, l'administration communique alors un message à cet employé.

Utiliser des techniques de communication
La confrontation
Pour désamorcer votre harceleur, le plus simple est parfois de lui demander d'arrêter son comportement désagréable à votre égard. Vous devez le faire avec fermeté et de façon directe. Toutefois, vous verrez que, même si c'est la solution la plus simple, ce n'est pas toujours la meilleure. Si votre agresseur ne pratique la manipulation qu'occasionnellement, si vous n'avez pas affaire à du harcèlement progressif ou à un manque flagrant de respect, votre demande le prendra par surprise et il se mettra probablement à faire plus attention à vous. Si vous êtes confronté à un réel harceleur, cette stratégie ne sera pas suffisante; elle peut même lui servir pour vous causer encore plus de dommages. En effet, en milieu de travail, une confrontation directe de ce type peut aussi se retourner contre vous si la personne a un pouvoir sur votre emploi. Les êtres humains ne prennent pas tous le temps de faire de l'introspection pour identifier leurs erreurs. Alors il faut faire attention. Dans certains cas, une telle méthode peut vous être profitable, comme lors d'attaques publiques; dans d'autres cas, cette solution ne sera pas appropriée. La confrontation demeure donc un outil, si ce n'est que pour poser un diagnostic, mais utilisez-le avec discernement et soyez prêt à empêcher votre harceleur de renverser la situation à son avantage.

L'argumentation

Évitez d'entrer dans l'argumentation. Cela ne servirait à rien. Utilisez des phrases courtes et parlez avec un ton neutre. Si vous avez utilisé la confrontation sans obtenir de résultats positifs, reculez. Cependant, ne reculez pas de façon à donner l'impression que vous regrettez les propos que vous avez tenus, mais de façon à réaffirmer ce que vous avez dit. Allez droit au but. Vous pouvez le faire subtilement, de par votre attitude, mais vous pouvez aussi carrément énoncer votre refus d'argumenter : « Écoute, je ne veux pas argumenter sur ce sujet. J'ai le droit d'avoir mon avis sur la question et je ne changerai pas d'opinion. » Ou bien : « Je ne suis pas intéressé à argumenter. Je sais que tu ne changeras pas d'opinion et je n'en ai pas l'intention non plus. Je ne veux pas perdre mon temps là-dessus. J'ai autre chose à faire. » Il n'y a rien d'autre à ajouter. La fermeté est nécessaire.

La contre-manipulation

Tel qu'expliqué dans le livre d'Isabelle Nazare-Aga, *Les manipulateurs sont parmi nous,* la contre-manipulation consiste à utiliser des phrases floues. Puisque le harceleur est presque toujours un fin manipulateur, il devient indispensable de bien connaître ces techniques de contre-manipulation afin de le déstabiliser. Isabelle Nazare-Aga donne de bons exemples de contre-manipulation. Je vous invite à consulter son ouvrage et à pratiquer les façons de répondre qu'elle propose. En voici quelques-unes :

- « C'est une (votre) opinion. »
- « Vous (On) pouvez (peut) le penser. »
- « C'est une interprétation. »
- « Chacun ses goûts. »
- « C'est une façon de voir. »
- « Vous avez le droit de le penser. »

Comme vous voyez, ces phrases sont courtes. Elles ne vous engagent pas dans la conversation ; elles vous laissent en retrait. Elles ne font qu'énoncer des faits : que les insultes et les brimades de votre agresseur reflètent ses pensées et ses croyances, pas les vôtres ! Elles lui appartiennent. Vous n'acquiescez pas et vous n'argumentez pas non plus. Ces phrases vous aideront à vous détacher de la situation, alors utilisez-les. Votre harceleur reviendra à la charge, mais vous n'avez qu'à répéter la même méthode. L'important est de ne pas vous enliser dans sa conversation. Laissez-le faire. N'alimentez pas la conversation ; il n'attend que cela. Par exemple, si votre bourreau vous dit : « Que vous travaillez mal ! Ce que vous faites est toujours mal fait ! » répondez : « C'est vous qui le dites. C'est ce que vous pensez », puis arrêtez là. N'entrez pas dans son jeu. Il aimerait tant que vous cherchiez à vous défendre ! Ne lui donnez pas ce plaisir. Ne lui donnez pas de pouvoir sur vous. Des phrases du type : « C'est ce que vous pensez », « Vous avez le droit de le penser », n'entretiennent pas l'attaque de votre interlocuteur. Elles le laissent en plan. Elles ne lui donnent pas de munitions et vous, vous ne perdez pas vos énergies inutilement. Toutefois, attendez-vous à ce qu'il ne laisse pas tomber facilement. Il répétera son attaque. Vous devrez utiliser ces phrases plus d'une fois. Encore une fois, remarquez bien que vous ne lui donnez pas raison. Vous ne lui dites même pas votre opinion sur le sujet ! Vous ne lui donnez vraiment rien. En plus, vous ne montrez pas d'insécurité. C'est très important. Si vous avez le moindre doute, il s'en servira. Si vous avez de la difficulté à maîtriser vos émotions, évitez de lui donner toute votre attention. Pendant qu'il parle, faites quelque chose d'autre et répondez ces phrases toutes faites d'une façon presque automatique. Cela peut le rendre furieux, mais répondez que vous avez du travail, que ce sont des opinions qui sont émises et rien de plus.

Surtout, évitez de donner votre propre opinion. Il vous poussera à la donner ; il pourrait même, pour vous provoquer, répondre qu'il n'émet pas qu'une opinion, mais un fait. N'entrez pas dans ce piège. Coupez court à la conversation et dites-lui que vous avez du travail. Faites-vous une liste de phrases simples et directes de ce genre et utilisez-la.

La forme interrogative

Ceci ressemble à la technique précédente, sauf qu'au lieu d'utiliser des réponses floues et peu engageantes, vous rétorquez calmement par des questions dépourvues d'engagement émotionnel et pour lesquelles il doit répondre par oui ou non. Vos questions doivent donc être fermées, c'est-à-dire que, contrairement aux questions ouvertes, qui demandent des explications ou des descriptions, ce type de question oblige l'interlocuteur à répondre par un oui ou un non. Voici un exemple de question fermée. Votre harceleur vous dit : « Ce rapport ne vaut rien ! C'est de la cochonnerie ! Parmi mon équipe, tu es la bête noire, incapable d'accomplir un simple petit rapport qui a du sens ! » Et vous répondez : « Vous pensez que je ne suis pas bonne ? » Voici, au contraire, un exemple de question ouverte : « Comment avez-vous procédé pour construire ce projet dans un temps si court ? » Le « comment » oblige l'interlocuteur à donner une explication, à ajouter des détails. Ne lui laissez pas cette chance !

Si vous décidez d'utiliser la technique des questions fermées, il faut aussi que vos questions soient posées en ordre logique. Le but est d'amener votre interlocuteur à reconnaître lui-même l'évidence, en face de son auditoire s'il y a des témoins. Le rapport n'est très certainement pas une « cochonnerie ». S'il ne valait rien, de deux choses l'une : ou bien cela voudrait dire que les directives n'étaient pas claires, ou bien ce serait que vous auriez délibérément remis un travail médiocre. Si cela n'est pas le cas, il ne reste qu'une possibilité : que le rapport ne soit peut-être pas à son goût, mais qu'il ait néanmoins des points valables. D'autre part, s'il vous avait demandé de faire ce rapport, c'est que de prime abord, il vous croyait capable de le faire !

Reprenons notre exemple. Disons que votre patron est un harceleur et qu'il vous dit : « Ce rapport vaut rien ! C'est de la cochonnerie ! Parmi mon équipe, tu es la bête noire, incapable d'accomplir un simple petit rapport qui a du sens ! » Avec la technique du questionnement, vous répondrez :

– Vous pensez que ce rapport n'a rien de bon ?
– Vous estimez que chaque partie du rapport n'est pas bien exprimée ?
– Vous trouvez toute la structure du rapport mal organisée ?
– Vous estimez que mon rapport ne répond pas du tout à vos directives ?

– Les travaux de vos autres employés ne demandent jamais de corrections ?

Comme vous pouvez le voir, votre questionnement pousse votre interlocuteur à avouer que le rapport ne peut être entièrement raté. Le problème réside dans le fait qu'il ne l'apprécie pas à sa juste valeur. Votre série de questions le force à réfléchir aux conséquences de ses attaques et de ses généralisations stupides.

Lorsque vous utilisez cette technique, faites *très* attention à ce que vos questions soient posées avec un grand calme et sans *aucun attachement émotionnel*. N'essayez pas de lui prouver le point qui vous semble évident. Laissez l'évidence se prouver d'elle-même.

Faites aussi attention à votre langage non verbal. Un petit sourire en coin ou un ton de voix incongru peut facilement l'agacer. Les « Ah ! Tu vois bien que tu exagérais » ! ou « Franchement, ne vois-tu pas que ce que tu dis n'a aucun sens ! » le mettent trop clairement devant sa défaite. Plus vous avancez dans l'ordre de vos questions, plus il constate, immanquablement, que vous avez raison. Mais résistez à la tentation de le lui souligner. Ne succombez pas à l'envie d'utiliser un ton sarcastique et ne lui envoyez pas de sourire en coin. N'exprimez pas votre sentiment de triomphe. Vous le ferez quand vous serez seul ou en compagnie d'une personne de confiance, juste pour le plaisir. Bref, cette technique vous sert à enlever le poids de son attaque. Il constatera par là même qu'il ne peut pas réussir à vous rabaisser si facilement. Vous n'êtes pas dupe. Vous ne croyez pas en ses accusations. Vous n'êtes pas sans défense. Vous êtes même capable de lui faire constater ses exagérations !

Une fois encore, faites-le avec détachement ; c'est primordial. Offrez-lui la chance de s'en sortir avec son orgueil intact. Si vos questions sont bien construites, sont posées de façon progressive et sont dénudées de toute émotion, il lâchera son attaque afin de ne pas se ridiculiser. Si vous vous embarquez dans la moindre bataille, même si vous êtes gagnant, ce ne sera que partie remise. N'oubliez pas que votre interlocuteur n'aime pas perdre et tient à vous détruire. Alors laissez-lui sa dignité — le peu qu'il a — et goûtez seul à votre victoire.

L'affrontement

Il est parfois nécessaire de confronter votre assaillant. Ce n'est pas la technique que je favorise, mais il existe des situations où vous n'avez pas d'autres choix. Le verre déborde. Imaginez que l'on vous a joué un sale coup et que vous êtes maintenant accusé de quelque chose que vous n'avez pas fait. La faute revient au manipulateur, mais en usant de ruse et en bénéficiant peut-être même de l'aide de certains, il vous a piégé et les autres vous croient coupable. Seul vous connaissez la vérité. Il est très difficile, voire impossible, d'utiliser l'humour, l'imagination ou toutes les autres techniques pour désamorcer la situation. Vous avez eu plein d'insultes cette semaine et cette goutte d'eau a fait déverser le vase déjà trop plein. Il devient nécessaire d'affronter le fauteur de troubles. Cette méthode vous permet de vous respecter davantage, car vous ne vous laissez pas faire. De plus, vous lui démontrez que vous voyez bien ses manigances.

Je le répète, selon les situations, il peut être salutaire de dire franchement ce que l'on pense à une personne. Bien sûr, ne faites pas cela à votre patron lorsqu'il a du pouvoir sur vous et que vous n'êtes nullement protégé par un syndicat ou autres. Utilisez cette technique le moins possible, du moins tant que la «guerre» n'est pas déclarée! En d'autres termes, si vous prenez des notes, si vous faites enquête, mieux vaut rester couvert. Si vous confrontez quelque peu votre adversaire, faites-le de façon intelligente. Essayez de faire en sorte que cet affrontement vous serve à soutirer de l'information, pas seulement à vous soulager. Si la guerre est ouverte, si votre milieu de travail est un véritable enfer et que l'on vous harcèle sans réserve, vous pouvez alors utiliser cette technique de temps à autre; usez alors de bon sens. Rappelez-vous: ne devenez pas vous-même un attaquant. N'abusez pas de la méthode de l'affrontement et ne dites surtout pas à l'autre ce que vous comptez faire de vos découvertes!

Laissez libre cours à votre colère

La situation est catastrophique. Vous ne pouvez pas confronter le harceleur (ce serait désastreux pour vous) et vous n'arrivez pas à vous relaxer. Qui a dit que vous ne devez jamais vous mettre en colère?

Parfois, il faut être ferme et en colère. C'est la seule façon de se faire entendre. C'est aussi, dans certaines situations, la seule manière d'imposer ses limites. Si vous n'êtes pas hystérique, si vous restez rationnel et objectif, vous pouvez faire valoir vos droits tout en témoignant du respect pour vous et les autres. Crier, répondre par des coups ou user de jurons, est inacceptable. Toute violence physique, verbale ou émotionnelle est inadmissible. Mais exprimer sa colère, tout en énonçant les faits qui l'ont provoquée, est justifié lorsque la situation l'exige. Cependant, le respect des autres, l'écoute, l'objectivité et le contrôle des émotions restent des éléments primordiaux.

Si vous vous êtes fait passer un savon, si on a vraiment dépassé les bornes et que vous ressentez un grand besoin de laisser sortir votre colère, faites-le en privé, là où personne ne peut vous entendre. Allez faire une promenade et criez. Si cela fait longtemps que la situation est difficile au travail, apportez un oreiller dans l'auto, et enfermez-vous dans votre véhicule, au besoin, pour frapper dans votre oreiller! Vous pouvez laisser sortir la vapeur, mais assurez-vous que vous n'avez pas de témoin.

Prendre ses armes!
Si on crie après vous ou si on vous insulte, enlevez ses armes à votre agresseur. Il hurle, il vous injurie? Empêchez-le de recommencer. Comment? Pour le désarçonner, vous pouvez carrément quitter la pièce en disant: «Je vous laisse mon bureau quelques minutes pour que vous puissiez vous calmer. Je vous parlerai lorsque vous utiliserez un ton adéquat et un contenu approprié.» Ou bien, soyez ferme, interrompez votre individu et dites quelque chose à l'effet que vous allez partir s'il n'arrête pas immédiatement de crier après vous ou de vous faire des brimades.

Pour plus d'impact, utilisez le langage non verbal en même temps que vous exigez le respect. Par exemple, faites un geste du bras signifiant que vous coupez la conversation. Levez votre bras, pliez-le devant votre visage et dites: «Arrête!» D'une voix ferme, pas nécessairement forte, mais sûre et calme. Puis enchaînez en demandant une conversation plus respectueuse. Par contre, ne répondez pas à la colère par la colère. Cela ne ferait qu'empirer les choses. Répondez par la fermeté. Soyez ferme chaque fois que la conversation n'est pas acceptable, et ce, jusqu'à ce que la situation change.

Rester fidèle à soi-même

Quelles que soient les techniques apprises, demeurez fidèle à vous-même. N'entrez pas dans le jeu de votre harceleur. Ne devenez pas comme lui. Si on tente constamment de vous piéger, ne commencez pas à tendre vous-même des pièges comme système de défense ou pour vous venger. On vous harcèle, mais n'utilisez pas un comportement semblable. Ne répondez pas aux insultes par d'autres insultes ; la discussion tournerait à la bataille et aux disputes stériles. On vous reproche une erreur que vous n'avez pas commise ; ne jetez pas le blâme sur un autre. Vous perdriez votre crédibilité auprès de vos collègues. Refusez que toute injustice vous soit faite, mais restez qui vous êtes. Ne vous abaissez pas en réaction aux attaques. Surtout, ne devenez pas un attaquant comme l'est votre harceleur. Un jour, s'il y a enquête, les témoignages de vos collègues et de témoins peuvent devenir importants. Vous avez de meilleures chances d'avoir des témoignages en votre faveur si vous êtes resté fidèle à vous-même.

Éviter la victimisation

En toute objectivité, déterminez bien vos points forts et vos points faibles. En quoi êtes-vous responsable de ce que vous vivez ? Que pouvez-vous y faire ? Prenez du recul afin de rester neutre face à votre situation et pour ne pas vous enliser dans la pensée réconfortante de n'être qu'une victime, aux prises avec un patron tyrannique et un mauvais milieu de travail. Peut-être n'avez-vous pas réellement les compétences requises pour effectuer votre travail ? Peut-être que votre patron utilise des moyens pervers comme le harcèlement en espérant seulement que vous quittiez sans qu'il n'ait à vous verser une prime de départ ? Cela n'excuse pas l'usage de tels moyens déloyaux, mais comprenez d'abord votre propre responsabilité, si minime soit-elle. Il est préférable que vous soyez honnête avec vous-même. Votre entourage, avec qui vous vous victimisez, sait reconnaître le vrai du faux de toute façon. Alors vous n'y gagnez rien. Si vous êtes une vraie victime, en ce sens que vous n'êtes pas pour grand-chose au harcèlement dont vous souffrez, vos vrais amis vous aideront, dans la mesure du possible. Si vous n'êtes pas véritablement une victime, ne faites pas croire que vous l'êtes. N'oubliez pas que personne n'est parfait. Nous avons tous nos faiblesses. Sachez d'abord les reconnaître afin de travailler à vous améliorer. Il est effectivement tentant de se faire passer comme une victime. Cela nous permet d'éviter de voir notre propre responsabilité, nos faiblesses ou nos erreurs. Se présenter comme une victime nous apporte aussi la commisération des autres. Mais cela ne dure pas. Avec le temps, nos proches se lassent des plaintes et s'éloignent de nous. Il est parfois difficile de rester neutre afin de bien évaluer nos fautes et les fautes d'autrui. Si vous êtes en arrêt de travail, si vous ne dormez plus très bien et si vous êtes en pleine dépression et avez vraiment l'impression de ne plus valoir grand-chose, il vous est probablement difficile de situer les propos qui vous ont été donnés. Restructurer les événements peut parfois aider. Par restructuration, j'entends repenser à certains événements et regarder ce qui s'est passé. Pensez alors à ce que vous auriez pu faire et comment. Essayez de comprendre, avec empathie et non pas sympathie, les raisons pour lesquelles votre agresseur a agi comme il l'a fait. L'empathie nous permet d'identifier les émotions vécues par autrui dans une situation sans pour autant s'y associer, alors que la sympathie nuit dans des situations comme celle-là. L'impartialité est conservée à travers l'empathie. Écrivez, si cela vous aide. L'écriture est un bon outil pour distinguer les faits des perceptions. Surtout lors de la relecture. C'est aussi une activité qui peut vous permettre de voir s'il y a progression. Vérifiez quelles sont vos peurs et quelles sont vos ambitions. Avez-vous remarqué s'il y a des situations particulièrement propices aux attaques du harceleur ? Toutefois, attention ! Il n'est pas question de défendre votre agresseur ni de l'excuser ! Cet exercice vous permet seulement d'ordonner les événements dans votre esprit. Le but est de voir les choses en toute objectivité et d'éviter toute victimisation.

Éviter de s'auto-accuser

L'inverse, par contre, n'est pas mieux. Penser que vous êtes une espèce d'imbécile pour ne pas avoir vu ce qui se passait avant que cela ne prenne des proportions difficiles à contrôler ne vous mènera nulle part. Se répéter inlassablement «pourquoi, pourquoi, pourquoi?» ne vous avancera à rien. Croire que vous ne valez rien parce que quelqu'un vous le dit n'est pas procéder de manière logique. Votre harceleur n'est pas la seule personne qui vous connaît et il n'est pas la seule personne digne d'une opinion quant à votre valeur au travail!

Félicitez-vous pour vos actions. Par exemple, si vous êtes en congé maladie à cause du harcèlement, vous vous êtes retiré d'une situation néfaste pour votre bien-être. Vous avez pris les mesures nécessaires pour sauvegarder votre santé. Félicitez-vous d'avoir eu ce courage. Vous êtes en train de lire ce livre; vous apprenez donc des choses. Concentrez-vous sur ce que vous ferez dans le futur. Si c'est pour faire de l'auto-accusation, laissez le passé là où il est.

Confronter ses croyances

Votre vie est grandement influencée par vos perceptions. Vos croyances influencent votre perception des événements. Nous avons continuellement des pensées internes, automatiques, qui reflètent nos croyances profondes. Ces pensées influent sur notre caractère et sur celui du harceleur. Ces pensées sont irrationnelles et elles émanent de schémas acquis depuis notre enfance, lors de nos expériences de vie et des messages verbaux de nos parents. Le manipulateur en puissance utilise vos croyances profondes.

Pensez aux phrases suivantes: «Le surplus de poids est néfaste. Les obèses ne peuvent pas réussir une carrière.» Imaginez que ce genre de propos soient répétés maintes fois par un parent à son enfant. Imaginez maintenant notre harceleur faire le commentaire suivant à l'enfant devenu grand: «Oh! Que tu as engraissé en vacances! Tu as abusé de la bonne chère n'est-ce pas? Tu dois te sentir mal avec ce surplus de poids!»

Il n'en suffit pas plus pour que l'enfant devenu adulte se sente mal à l'aise et se remette en question. Notre bourreau savait que l'aspect physique était important pour sa victime et c'est pour cela qu'il a noté chez ce dernier une prise de poids : pour mettre au jour une faiblesse. Rapidement, une peur refait surface dans l'esprit de la victime, sans même qu'elle en soit consciente, et son estime de soi en est affectée. Lisez les croyances suivantes, constatez à quel point elles sont fréquentes et voyez si elles sont aussi ancrées en vous :

« Il faut être gentil et aimable en toutes circonstances, sinon on est méchant, insensible ou agressif. »
« Il ne faut pas faire de mal. »
« Lorsqu'on me fait du mal, c'est insupportable. »
« Les gens doivent être punis pour leur méchanceté. »
« On ne peut pas faire confiance aux autres. »
« Tes parents ont toujours raison. » (Pas l'enfant, jamais !)
« Lorsque des individus se plaignent, c'est qu'ils ne font rien. »
« Les gens sont malhonnêtes. »
« Il faut être mince pour attirer un homme. »
« Les hommes sont comme ceci, les femmes sont comme cela. »

Comme vous le constatez, ces croyances sont des généralités. Elles ne tiennent pas compte de l'individualité de la personne ou de la situation. Malheureusement, elles s'incrustent très rapidement en nous dans notre jeunesse et nous devons nettoyer tout cela lorsque nous devenons adultes. Nous avons tous un enfant en soi. Nous avons d'ailleurs le parent, l'enfant et l'adulte. Dans quelle mesure et dans quelles situations on laisse chacune de ces parties de notre personnalité s'exprimer diffère pour chaque individu.

La confrontation de nos croyances nous permet d'abord d'être conscient des modes de pensée qui nous influencent, mais cela nous permet aussi de faire un « ménage ». On peut alors décider des convictions que l'on veut vraiment garder, en tant qu'adulte, et des croyances que l'on préfère rejeter. Cela nous permet aussi de remettre les choses en perspective. Dans l'exemple précédent, la victime, en réfléchissant à ce qui lui a été dit, pourrait se dire intérieurement : « Oui, j'ai engraissé, mais cela ne fait pas de moi un obèse. » Ou : « Oui, j'ai engraissé, mais je suis encore un très bon mécanicien/hygiéniste dentaire, etc. Mon aspect physique n'a rien à voir avec mes compétences.» Vous voyez la différence? Lorsque vous vous sentez mal face aux propos qu'a tenus votre agresseur, demandez-vous ce qui se passe dans votre for intérieur. Quelles croyances a-t-il touché? Que sont les croyances, les pensées et les faits présents dans votre esprit à ce moment-là? Décelez le processus mental qui a déclenché cet état émotif.

Quoi qu'il en soit, attendez-vous à une réaction de la part de l'abuseur. Lorsque vous utiliserez certaines de ces techniques, vous gagnerez de la confiance en vous et cela transparaîtra (dans votre façon de parler, de bouger, etc.). Face à ce changement, votre agresseur ne restera pas impassible. Il pourrait être sur la défensive, se montrer hostile, chercher des moyens nouveaux pour vous faire réagir de la façon qu'il désire. Vous ne pourrez contrôler ses réactions. Vous avez seulement le contrôle sur les vôtres. Soyez honnête envers vous-même et gardez foi. Observez. Notez. Protégez-vous. Continuez.

Faire le deuil de la position que l'on détenait

Vous travaillez au même endroit depuis plusieurs années et c'est seulement lors de l'arrivée du nouveau patron que les choses ont commencé à mal tourner? Cela fait cinq ou dix ans que vous vous dévouez à l'entreprise et voilà que, après une mutation, vous vous retrouvez maintenant au milieu de conflits qui ont dégénéré en harcèlement, simplement parce que votre arrivée a changé le rang des allocations de vacances et autres bénéfices au sein de la nouvelle équipe de travail? Vous avez toujours eu des bonnes, sinon excellentes, évaluations annuelles et maintenant que vous êtes victime de harcèlement psychologique au travail, votre employeur ne daigne même pas vous appuyer dans votre plainte? Vous avez été promu maintes fois, c'est donc que vous avez démontré vos compétences; et pourtant, celles-ci sont maintenant complètement remises en question, comme si vous n'aviez jamais eu un passé professionnel satisfaisant?

Toutes ces situations vous sont familières? Ne vous attendez pas à ce que votre employeur, votre patron ou même vos collègues ne se laissent influencer par votre historique professionnel pour vous juger ou vous accorder leur soutien ou non. Certains le feront, d'autres pas. Vous devrez peut-être faire le deuil des relations que vous entreteniez auparavant, comme celles que vous aviez avec certains de vos collègues et avec l'entreprise en général. Les événements récents ont changé les données. Faites le deuil des communications authentiques. Les gens ne seront pas tous honnêtes. Certains verront dans votre malheur une occasion de gagner quelque chose : une position, une promotion, une meilleure image, etc. Peut-être aviez-vous jadis une relation adéquate avec votre harceleur et que cela a changé sans que vous ne sachiez vraiment pourquoi. Peut-être avez-vous des soupçons à cet effet, sans en être totalement certain. Peut-être, au contraire, connaissez-vous les raisons derrière les agissements de l'agresseur. Mais, dans un cas comme dans l'autre, vous aurez à faire le deuil de la relation que vous aviez avec lui et avec d'autres.

Ce cheminement est douloureux, surtout si vous avez été manipulé depuis un certain temps, si vous estimez avoir beaucoup donné et si, de plus, vous estimez que les motifs du harcèlement sont ridicules. Tout allait si bien ; pourquoi vous harcèle-t-il ? Ne se rappelle-t-il pas qui vous êtes ? Vos succès se sont-ils soudainement envolés de sa mémoire ? Comment pourriez-vous être soudainement devenu incompétent ? Comment l'entreprise qui, hier, vous couvrait d'éloges, peut-elle aujourd'hui vous croire incapable d'accomplir vos tâches ?

Plus la relation que vous avez eue auparavant avec votre harceleur ou avec l'organisation de travail a été bonne, plus il vous sera difficile de reconnaître que vous êtes en présence de harcèlement. Il vous sera encore plus laborieux d'accepter qu'il soit possible que, malgré vos plaintes et vos différentes interventions, vous n'obteniez pas justice.

Vous devrez alors accepter de laisser mourir l'espoir que la personne ne change. Il faudra peut-être même, à un certain moment, que vous laissiez tomber l'idée que l'entreprise ou même les autres organismes ne vous soutienne. Il se peut que vous n'arriviez pas à convaincre vos collègues ou votre patron de l'injustice qui vous accable. Les autres ne voient pas ce que vous voyez. Soit ils ne veulent pas comprendre, soit ils ne le peuvent pas. Tant que vous vous battrez à essayer de leur ouvrir les yeux, vous perdrez des énergies précieuses que vous pourriez utiliser pour vous-même.

Par exemple, un collègue peut vous harceler parce que vous avez raflé une promotion qu'il croyait être en droit d'obtenir. Vous connaissez la raison, vous tentez d'expliquer au patron, ou même à votre harceleur, que le système de promotion était tout à fait juste, etc., mais tous vos efforts de faire comprendre les choses à votre harceleur seront peine perdue. Le danger de garder espoir que l'autre comprenne, qu'il ne change avec le temps, qu'il reprenne ses esprits, etc., est que, pendant que vous faites preuve d'autant de patience et de tolérance, les attaques vous fassent souffrir et vous affaiblissent. Faites le deuil de ce qui était et cela vous libérera.

Conserver sa crédibilité

Il est primordial que vous préserviez votre crédibilité. Si vous portez plainte, s'il y a enquête ou s'il y a arbitrage, votre crédibilité devient très importante. Certains faits peuvent être utilisés comme preuves, surtout si vous avez tout noté et conservé, mais certaines évidences seront peut-être obtenues à travers des témoignages — oraux ou écrits —, des questionnaires et des entrevues auprès de personnes clés. Vous aurez peut-être aussi à témoigner vous-même. Votre crédibilité joue donc un rôle capital. Cependant, il n'est pas toujours facile de maintenir une bonne image. Lorsque l'on ressent beaucoup de colère, de frustrations, de confusion, de doutes, de culpabilité, etc., il devient extrêmement difficile de conserver sa crédibilité professionnelle, parce que ces émotions ont des effets sur toute votre personne. Elles changent vos comportements avec les gens qui vous entourent. Elles altèrent votre façon de communiquer ; le ton que vous utilisez et le volume de votre voix peuvent notamment être modifiés. Vos états d'âme influencent votre attitude envers les gens, vos collègues, l'entreprise en général et même envers les professionnels de la santé qui interviennent auprès de vous. Aux yeux des autres, vous pouvez avoir l'air de dramatiser. Par exemple, il se peut que vous exprimiez votre colère très ouvertement à la suite du rejet d'une de vos plaintes. Cette colère, même si elle est justifiée, peut ultérieurement, surtout si elle se prolonge, porter ombrage à votre crédibilité. Vous pourriez être perçu comme la personne qui « exagère », qui se plaint pour rien. D'autre part, les gens ont tendance à croire que vous avez dû faire quelque chose de mal pour que cette situation vous arrive ; dans leur esprit, il n'y a pas de fumée sans feu. À votre insu, sans même que vous n'y soyez pour quoi que ce soit, votre crédibilité se trouve diminuée.

Alors puisque votre crédibilité est tout à fait nécessaire lorsque vient le temps de prouver le harcèlement, il vaut mieux faire attention. Il est vrai, comme nous l'avons vu, qu'il peut être difficile de conserver sa crédibilité lorsque l'on est soumis à tant d'émotions et de pression, mais ce n'est pas impossible. Comment ? Il n'y a pas de recettes magiques. Votre posture, vos réactions face à la situation et aux événements, votre style de communication, vos actions, votre attitude, vos compétences professionnelles et bien d'autres éléments forment un tout qui fait de vous une personne crédible ou non aux yeux des autres. C'est donc que vous devez être prudent à ce niveau. Voici quelques petits conseils qui pourraient vous être utiles :

Exprimez votre colère uniquement avec des gens de confiance et dans les situations appropriées. Il y a, certes, un moment ou deux où vous aurez besoin d'exprimer votre colère à vos collègues, à vos supérieurs ou au fautif, mais, en général, lorsque vous êtes au travail, il vaut mieux que vous gardiez votre sang-froid. Il y a des gens qui sympathiseront avec vous, mais qui ne voudront pas en savoir davantage ou qui n'oseront pas s'impliquer au-delà du simple « Je te comprends ». Si vous les agacez trop avec vos revendications et votre colère, certains d'entre eux se tourneront contre vous. Par conséquent, restez calme et essayez de ne pas vous emporter en leur présence.

Faites attention au langage en « tu » ou « il/elle » (lorsque vous parlez à une tierce personne) et évitez les exagérations. Les reproches utilisant le « tu » ou « il/elle » sonnent fortement comme des accusations. Même si parler ainsi vous fait du bien, en ce sens que cela vous permet d'exprimer votre frustration, vous pouvez apparaître comme étant une personne qui incrimine les autres outre mesure sans jamais regarder ses propres fautes. Rappelez-vous que les gens ont tendance à penser que vous êtes fautif en partant. Dans le contexte où vous vous trouvez, les accusations, même vraies, ne servent pas votre crédibilité. Il est préférable que vous exprimiez les faits de la manière la plus objective possible. Cela veut dire que, lorsque vous racontez un événement, vous parlez aussi de votre propre comportement. Les «je» contrebalanceront les «tu», ou les «il/elle».

Demandez à un ami, un collègue, un professionnel de la santé ou un proche en qui vous avez confiance de vous donner leur avis sur les événements que vous relatez. Notre vision de la vie et des événements qui la composent influence fortement nos perceptions. Un même fait n'a pas nécessairement la même signification chez deux individus. Un ami ou collègue de confiance vous permet de vérifier plus objectivement si vos perceptions sont justifiées. Puisque cette personne a du recul face à la situation, elle est en meilleure position pour confirmer ou infirmer vos soupçons. Choisissez cette personne avec soin. Certaines personnes ont une meilleure capacité à analyser objectivement des événements que d'autres. Recevoir l'avis d'un ami ou d'un collègue objectif permet de vous positionner, mais il faut user de leurs propos avec modération. Si, par exemple, après avoir confié vos impressions à un collègue, celui-ci partage vos soupçons, cela ne vous donne pas le droit d'aller porter des accusations auprès de votre présumé harceleur sans jamais donner à ce dernier la chance de s'expliquer. Même si vous aviez raison, vous montriez alors l'image d'une personne «caractérielle». Il est plus approprié d'utiliser cette confirmation envers vous-même. Si vous croyez en vous, avec paix, sérénité, force et certitude, vous projetterez l'image d'une personne crédible. De plus, vous pouvez écrire dans votre agenda que vous avez obtenu des avis de l'extérieur, ce qui renforcera votre position.

Organisez-vous pour avoir une vie à l'extérieur du travail. Si vous êtes entièrement consumé par le travail et par la situation de harcèlement, les gens autour de vous auront tendance à penser que vous exagérez, que vous êtes quelque peu extrême dans votre façon de percevoir les choses. De plus, si vous n'avez pas de moyens pour évacuer les tensions, vous en serez inévitablement affecté. Le stress détruira votre personne sur les plans physique, psychologique et émotionnel, et si vous êtes encore actif au travail, vous augmente-rez vos risques de commettre des erreurs ou de faire preuve de com-portements inappropriés.

Reconnaissez la valeur de votre expérience et de votre vécu, mais recon-naissez aussi les difficultés des autres. Ce que vous vivez est extrême-ment difficile ; reconnaissez-le comme tel. Aidez-vous de diverses façons, comme celles que je vous donne dans ce livre, mais n'essayez pas de présenter la situation de manière à la faire apparaître pire qu'elle ne l'est. Les gens autour de vous, comme vos proches et vos collègues, sont aussi soumis au stress. S'ils sont au courant de votre situation, ils en sont témoins, directement ou indirectement. Eux aussi ressentent des émotions face à cette situation de harcèlement. En milieu de travail, vous serez plus crédible si vous ne vous pré-sentez pas comme étant LA victime ; peut-être d'autres personnes se considèrent-elles victimes également. Leurs souffrances méritent d'être respectées. Restez solidaire. Donnez-leur une place et ils vous en donneront une.

Préserver sa personne
Le harcèlement psychologique au travail affecte une personne dans son intégralité. Il la détruit à petit feu, par les paroles abaissantes, les gestes destructeurs qui démolissent le moi professionnel de la vic-time en petits morceaux. Si le moi personnel de la personne est étroitement lié à son moi professionnel, c'est la personne entière qui se fragmente et la victime en est extrêmement fragilisée.

J'ai ici une courte histoire qui illustre bien ce que je veux dire lorsque je parle de l'importance de travailler à la conservation de votre moi. Je ne sais pas qui en est l'auteur original, mais la voici. Un jour, trois jeunes gradués du secondaire, deux hommes et une femme, marchaient dans le désert d'Arizona lors d'une excursion. Soudainement, la jeune fille se fit mordre par un serpent. Les deux autres jeunes coururent après le serpent afin de l'attraper et y par-vinrent. La pauvre jeune femme, pendant ce temps, se sentait très mal et était épouvantée à la pensée que le venin du serpent était peut-être mortel ; si c'était le cas, elle ne savait pas non plus combien de temps elle disposait pour obtenir les soins médicaux nécessaires.

Lorsque les deux jeunes hommes revinrent auprès d'elle pour lui montrer le serpent maintenant vaincu, elle était déjà évanouie et en mauvaise condition. Heureusement, elle survécut.

La morale de l'histoire est que la vie, parfois, nous mord effroyablement. Elle peut être dure avec nous et nous faire souffrir. On peut choisir de courir après les serpents afin de les empêcher de nous mordre de nouveau ou de mordre d'autres personnes, ou on peut décider de se soigner avant tout de nos blessures.

Pour préserver votre personne face aux agressions que vous subissez, vous devez absolument neutraliser le poison qui vous est envoyé quotidiennement. Si vous dépensez vos énergies à courir après le serpent afin de le prendre «sur le fait», de l'inculper ou autre, vous laissez, pendant ce temps, le poison faire son effet.

Cela ne veut pas dire que vous ne pouvez pas vous défendre ou essayer d'attraper le coupable, mais ne le faites que lorsque vous croyez vos forces suffisantes. Chaque jour, vous devez faire des efforts pour rétablir votre moi. Prenez le cas suivant. Vous subissez une agression de la part du harceleur et vous ne faites rien ou vous ne savez pas quoi faire pour traiter votre blessure. À la place, vous essayez d'abord de faire changer votre agresseur ou d'argumenter contre lui. En d'autres termes, vous commencez par mettre vos énergies à l'extérieur de vous, sans vous assurer que vous avez suffisamment récupéré du coup que vous avez reçu. Il en résulte que votre santé physique, psychologique et émotionnelle baisse. Puisque, par définition, les agressions dans les cas de harcèlement se répètent et augmentent, le cycle recommence et vous vous affaiblissez jusqu'à un point fatidique. C'est une équation à éviter. Ici, la victime laisse le venin pénétrer. Elle donne du poids à l'agression de son harceleur. Elle perd des énergies à uniquement courir après le serpent.

Une deuxième façon de réagir aux morsures du serpent consiste à s'apitoyer sur son sort, avec frayeur, et attendre que le secours arrive. Pas d'initiative contre le soleil brûlant qui nous assomme entre-temps, pas de solution au manque d'eau, pas d'appels à l'aide ou de recherche de solutions au problème, juste une attente avec l'espoir que la malencontreuse morsure et son venin ne soient pas mortels.

Des souhaits bien dangereux… Une victime ainsi fragilisée devient une proie facile, car ses forces physiques, psychologiques, émotionnelles et, conséquemment, ses capacités professionnelles, diminueront très rapidement. Vous en conviendrez que cette façon de gérer la situation n'est pas efficace. La victime se détruit elle-même. Au bout de quelques jours suivant une agression, elle se met à douter de ses compétences professionnelles. Le venin fait son effet. Elle est confuse et se demande si son agresseur a raison. Pendant ce temps, inquiète, elle fait des erreurs au travail en raison de sa concentration affaiblie et ses collègues se demandent si effectivement, l'agresseur a raison lorsqu'il affirme qu'elle est incompétente !

La meilleure façon de réagir est d'observer, en premier lieu, ce que vous ressentez, d'évaluer le venin qui vient de vous pénétrer le corps et l'esprit, et de décider quelle réponse serait la plus appropriée. Vous réparez le bris causé à l'intérieur de vous par le harceleur. Mettre cette méthode à l'œuvre en tout temps est irréaliste dans une situation de harcèlement psychologique au travail. En réalité, les trois façons d'agir s'entrecroisent constamment. Après tout, vos réactions dépendent de plusieurs facteurs. Aucune situation n'est pareille et c'est la raison pour laquelle personne ne peut dire à quelqu'un d'autre ce qu'il devrait faire. La force du harceleur et l'ampleur de ses agressions ont sans doute un poids important quant à l'impact sur la victime. Sauf qu'il n'y a rien que vous puissiez faire quant à votre agresseur. Un serpent, ça se faufile vite et ça se cache facilement. Vous ne pouvez agir que sur vous-même. Alors que pouvez-vous faire afin d'améliorer vos chances de réagir de la bonne manière ?

Voici quelques solutions :

Évacuez le stress et les frustrations pour rester entier. Le stress imposé par le harcèlement psychologique au travail doit absolument sortir. Utilisez toutes sortes de moyens pour vous en libérer.

Distinguez l'être que vous êtes maintenant, celui qui est soumis à une pression énorme et destructrice, de l'être que vous êtes généralement dans des circonstances plus normales. Il y a des moments où vous sentirez que vous n'êtes plus vous-même. Votre patience est à bout et vous n'arrivez plus à récupérer. Vous êtes déprimé et épuisé. Rappelez-vous continuellement que votre état est causé par des circonstances extérieures à vous. Parlez-vous intérieurement. Dites-vous que tout cela aura une fin. Rappelez-vous que vous êtes toujours la même personne, que votre présent état d'esprit n'est que temporaire et que vous redeviendrez la personne que vous étiez auparavant.

Distinguez également le moi professionnel du moi personnel. Le moi professionnel a de la difficulté en raison des agressions au travail. Si vous séparez ces deux aspects de votre être, vous aurez de meilleures chances pour que votre personne ne soit pas entièrement détruite. Par exemple, rappelez-vous que vous êtes aussi une mère, un père et/ou un(e) ami(e) et/ou un(e) conjoint(e), etc. Je l'ai déjà dit : vous êtes plus que votre travail. Souvenez-vous-en. Écrivez cette phrase quelque part et relisez-la chaque jour afin de vous aider à vous détacher des événements. Dites à vos proches de vous le rappeler. Si vous ne parlez que du harcèlement dont vous êtes victime, c'est signe que le problème envahit dangereusement votre vie personnelle. Tâchez que vos conversations portent sur d'autres sujets et participez à diverses activités. Si vous avez besoin de parler du harcèlement, limitez le temps que vous vous accordez pour vous soulager. Dites à votre interlocuteur : «Bon, j'en parle vingt minutes et après, tu m'arrêtes et on parle d'un sujet plaisant.» Pendant ce laps de temps, cependant, vous pouvez exprimer vos frustrations autant que vous le désirez.

Dégagez vos émotions des faits. Dans chaque situation, il y a les faits (ce qui s'est passé) et les émotions suscitées. Séparer les deux vous aidera : 1) à répertorier les faits et 2) à identifier les émotions qui vous habitent. Être conscient de vos sentiments vous permet par la suite de mieux les gérer.

Ne vous flagellez pas : il est facile de se sentir coupable de ce qui nous arrive. Non seulement les agressions vous déroutent continuellement et la confusion ne vous permet pas de bien voir les choses, mais, en plus, les gens manquent souvent d'empathie. N'ajoutez donc pas à la pression dont vous souffrez déjà en ayant des exigences trop élevées envers vous-même.

La justice

Nous voilà dans le domaine des outils externes. Vous avez tout fait. Vous avez tenté de désarçonner votre adversaire, vous faites preuve de fermeté, vous imposez vos limites, etc. Toutefois, vous ne voulez plus laisser une telle injustice se produire de nouveau. Vous décidez d'utiliser les moyens à votre disposition pour que s'arrêtent les situations de la sorte.

Au moment où j'écris ce livre, les lois du Québec ne font référence qu'au harcèlement sexuel ou racial, alors que le Conseil du Trésor du Canada prohibe, de façon générale, tout harcèlement discriminatoire, c'est-à-dire le harcèlement basé sur les critères tels que la race, le sexe, l'appartenance religieuse, les handicaps, etc. Toutefois, le gouvernement du Québec a modifié la Loi sur les normes du travail en décembre 2002 et des dispositions contre le harcèlement psychologique sont entrées en vigueur le 1er juin 2004. Celles-ci protègent tous les employés de la province de Québec, syndiqués ou pas, quel que soit le niveau hiérarchique qu'ils occupent dans leur entreprise, contre le harcèlement psychologique au travail. Tous les employeurs du Québec, qu'ils soient du secteur privé ou du secteur public, sont visés. Les salariés dont le travail relève de la juridiction fédérale ne sont cependant pas couverts par cette loi. Ils sont régis par le Code canadien du travail.

Au Québec, en cas de plainte, l'employé devra s'adresser à son syndicat ou, s'il n'est pas syndiqué, à la Commission des normes du travail. Selon la loi, l'employeur doit prendre les moyens raisonnables pour prévenir le harcèlement psychologique au travail. Lorsqu'un cas lui est rapporté, il doit prendre les mesures requises pour faire cesser le harcèlement et il doit donner des sanctions au fautif, si nécessaire. C'est donc une obligation de *moyens*. Un enquêteur procédera à une investigation pour vérifier s'il y a présence de harcèlement psychologique et si l'employeur a fait des efforts pour éviter ou résoudre le problème. Ce qui ne veut pas dire que l'employeur doit obtenir un milieu exempt de harcèlement psychologique, puisque cela est impossible. Ce n'est pas le résultat qui est évalué, mais bien les mesures prises par l'employeur pour contrer le problème.

L'enquêteur devra donc juger si les mesures de l'employeur étaient suffisantes. «Des pratiques de gestion qui favorisent un milieu de travail harmonieux ne suffisent pas pour remplir l'obligation qui lui incombe. L'ignorance d'une situation de harcèlement ne saurait en soi dégager l'employeur de sa responsabilité. » (*Guide de sensibilisation de la Commission des normes du travail du Québec.*)

Un médiateur du ministère du Travail peut alors être appelé à intervenir. Si la plainte est retenue et qu'il semble bien que l'entreprise n'a pas pris les «moyens raisonnables» pour éviter les cas de harcèlement psychologique au travail, le dossier sera envoyé à la Commission des relations de travail (CRT). Celle-ci devra évaluer le dossier et, si elle reconnaît la responsabilité de l'employeur, elle pourra obliger ce dernier à payer des indemnités à la victime.

Toutefois, les employés du reste du Canada ne sont couverts par aucune loi. Pour ce qui est des employés de la fonction publique fédérale, l'article 16 de la Convention entre le Conseil du Trésor et l'Alliance de la fonction publique du Canada dit ceci: «Il n'y aura aucune discrimination, ingérence, restriction, coercition, harcèlement, intimidation, ni aucune mesure disciplinaire exercée ou appliquée à l'égard d'un employé du fait de son âge, sa race, ses croyances, sa couleur, son origine ethnique, sa confession religieuse, son sexe, son orientation sexuelle, sa situation familiale, son incapacité mentale ou physique, son adhésion à l'Alliance ou son activité dans celle-ci, son état matrimonial ou une condamnation pour laquelle l'employé a été gracié.»

Dans tous les cas, le problème est de prouver la présence de harcèlement et de s'entendre sur la définition et/ou les caractéristiques qui décrivent une situation de harcèlement. Certains employeurs ont établi des politiques claires en matière de harcèlement, mais celles-ci diffèrent d'une entreprise à une autre. Jean-Maurice Cantin, dans son livre *L'abus d'autorité au travail : une forme de harcèlement,* donne les définitions de ce qui constitue «l'abus d'autorité» selon le Conseil du Trésor fédéral, le ministère fédéral de la Justice, le Code des droits de la personne de l'Ontario, la ville de Toronto, les tribunaux civils ou administratifs, et plusieurs autres. Cantin démontre comment l'abus de pouvoir est une forme de harcèlement, mais aussi comment la définition de ces deux termes diffère légèrement selon les politiques. Pour lui, et à la lumière des nombreuses définitions des divers organismes, l'abus d'autorité se traduit par les comportements suivants :

– empêcher un employé de prendre part à des activités syndicales par divers moyens ;

– refuser à un employé la possibilité de s'exprimer ;

– interrompre un employé de façon constante ;

– ignorer la présence d'un employé et ne s'adresser qu'à des tiers ;

– isoler un employé de ses collègues ;

– critiquer, menacer, calomnier ou ridiculiser un employé ;

– cesser de confier des tâches à un employé et faire en sorte qu'il n'ait plus aucune occupation ;

– confier à un employé des tâches humiliantes, inutiles ou inférieures à ses capacités ;

– priver un employé du traitement accordé à tous les autres ;

– crier, interpeller, hurler ;

– utiliser un langage grossier et abusif ;

– blasphémer contre un employé ;

– rétrograder un employé sans motif ou sous des prétextes fallacieux.

Évidemment, ces comportements sont représentatifs du harcèlement psychologique de type hiérarchique, puisque l'on parle d'abus de pouvoir. Cantin ajoute que la jurisprudence fournit certains exemples de condamnations pour ce type d'abus de pouvoir par des employeurs envers des travailleurs. Cela veut aussi dire que si vous êtes victime d'abus d'autorité, vous pouvez avoir une défense solide et votre avocat pourra citer les cas de jurisprudence pour appuyer sa plaidoirie.

Il demeure néanmoins difficile pour une victime de harcèlement psychologique d'amasser suffisamment de preuves tangibles pour poursuivre son offenseur. Lorsqu'un individu se risque à porter plainte, il doit s'en remettre lui-même aux ressources humaines de l'entreprise, à son syndicat ou encore à son propre employeur, s'il le confronte. Il pourrait avoir l'air ridicule et il pourrait même mettre sa carrière en péril. Se plaindre est d'autant plus difficile que l'agresseur attribue ses propres échecs ou ses difficultés aux autres et à toutes sortes de circonstances qui paraîtront très plausibles à ses patrons. De plus, votre harceleur peut répondre à votre plainte en commençant, lui aussi, à se plaindre de vous! N'oubliez pas qu'il excelle dans l'art de manipuler, «d'accuser sans accuser» ou, autrement dit, d'accuser en s'excusant. Le cas peut alors devenir extrêmement complexe. Il faut vraiment des personnes compétentes pour démêler le vrai du faux. C'est pourquoi je pense que le fait de noter, de se construire un agenda de sa vie quotidienne au travail est très important. Ce sera l'un de vos outils principaux pour retracer les événements qui démontreront votre impartialité et votre crédibilité. Il est important que vous agissiez le plus tôt possible. Ne laissez pas vos soupçons traîner trop longtemps. De toute façon, plus le harcèlement a duré, plus le recours juridique sera ardu, et plus il sera difficile, par la suite, de vous réintégrer dans une vie professionnelle normale. Vous devez, tout en prenant note par écrit des faits et gestes le plus rapidement et le plus précisément possible, parler à l'auteur présumé du harcèlement. L'acte était peut-être involontaire. Il est possible que vous soyez en présence d'un simple manque de civisme ou d'une erreur de gestion. C'est une vérification à faire. Vous devez éliminer cette hypothèse avant de sauter aux conclusions. Si les conditions dans lesquelles vous vous trouvez vous semblent trop difficiles, peut-être est-il plus approprié que vous fassiez cette démarche par écrit. Mais, que vous procédiez par écrit ou oralement, vous devriez songer à vous prémunir d'un témoin. Vous voulez clarifier une situation avant tout et rien de plus. Si vous optez pour la communication écrite, expliquez en détail ce qui vous préoccupe et demandez d'obtenir une réponse avant une date précise.

Si cet essai n'aboutit à rien, vous devrez vous servir des mécanismes mis en place par votre entreprise ou par votre province. Parlez du problème à votre représentant syndical ou aux personnes responsables du côté de l'employeur. Afin de vous protéger au mieux, professionnellement et personnellement, utilisez tous les outils que je conseille dans ce livre; notez tous les détails, renseignez-vous, commencez à émettre des limites, etc. Ces procédés ne peuvent que vous être utiles.

Si vous êtes syndiqué, parlez à votre représentant syndical. Si vous ne l'êtes pas, déposez une plainte écrite auprès des différentes instances qui peuvent vous aider ou vous protéger, telles que la Commission des droits de la personne du Québec, la Commission canadienne des droits de la personne, la Commission des normes du travail du Québec, la CSST, les tribunaux civils, l'assurance-emploi, etc. Vous y obtiendrez de l'aide et de l'information, et vous pourrez y déposer votre plainte, selon le cas. Chaque situation est différente et plusieurs facteurs entrent en jeu quand vient le temps de décider où porter plainte ; entre autres, votre situation géographique au Canada et votre santé physique et psychologique au moment de votre plainte détermineront quel organisme devra se charger de votre dossier. Il est possible que vous puissiez déposer une plainte à plus d'un de ces organismes. Chacun d'eux applique sa propre loi et un organisme n'est pas nécessairement lié par la décision d'un autre organisme. En revanche, l'un peut avoir un impact sur l'autre. Appelez-les et ils sauront vous informer à savoir où vous devriez déposer votre plainte, en fonction de votre situation. Toutefois, soyez extrêmement vigilant, car certaines législations peuvent entrer en ligne de compte. Par exemple, au Québec, les nouveaux articles de la Loi sur les normes du travail s'assurent tout de même qu'il n'y ait pas de double indemnité ; un individu ne peut être à la fois dédommagé par la CSST et par la Commission des relations de travail du Québec. Vous trouverez à la fin de ce livre une liste des organismes pouvant vous assister. Puisque certaines lois et politiques peuvent changer avec le temps, il est préférable que vous vérifiiez toujours avant de mettre votre plan en application. La Commission des droits de la personne du Québec a conçu une pochette comprenant divers documents d'information et de sensibilisation qui pourraient vous renseigner sur le processus de plaintes et sur plusieurs autres questions. L'important est que vous sachiez que vous pouvez porter plainte. Vous n'êtes pas sans ressources.

Si vous voulez être indemnisé médicalement, et ce, seulement pour la période visée, vous devez passer par la CSST. Si vous devenez invalide en raison des symptômes physiques et psychologiques dont vous souffrez, n'hésitez pas à vérifier vos droits auprès de ce même organisme ou auprès d'instances similaires si vous résidez dans une autre province ou à l'étranger. Bien que la notion d'invalidité suite à un accident de travail se limitait jadis aux lésions physiques, c'est de moins en moins le cas et certaines personnes aux prises avec des problèmes de harcèlement ont gagné leur cause. Entre autres, des cas de harcèlement sexuel et, dernièrement, des premiers cas de harcèlement psychologique au travail ont été reconnus comme entrant effectivement sous la dénomination «accident de travail». Il est donc important, non seulement pour votre couverture, mais aussi pour démontrer l'existence du phénomène, de porter plainte.

Même si la lésion psychologique n'est pas considérée comme une blessure imprévue et soudaine, Sylvie Cédilotte, une Montréalaise ayant souffert de dépression à la suite de harcèlement sexuel, psychologique et moral, sera indemnisée par la CSST. La direction de la révision administrative/instance d'appel de la CSST a récemment rendu une décision favorable à cet effet. La réviseure Denyse Pronovost a estimé que la dépression dont a souffert Mme Cédilotte est imputable à une accumulation de remarques désobligeantes faites à répétition par un cadre de son ancien employeur, la caisse populaire des policiers de la CUM, et qu'elle répondait à la définition d'un accident de travail. «J'ai gagné une bataille mais pas encore la guerre, car mon ancien employeur a toujours la possibilité d'aller en appel. Mais je suis contente que la CSST ait enfin reconnu le harcèlement comme un accident de travail. Trop souvent, dans ce type de cause, les gens ne veulent pas nous appuyer et gardent le silence», a indiqué Mme Cédilotte lors d'une entrevue téléphonique avec le journaliste André Duchesne, du quotidien *La Presse*.

Gare à la prescription ; il est possible qu'une plainte ne puisse être reçue si les événements remontent à trop longtemps. Au Québec, avec la nouvelle loi, le délai pour porter plainte a été fixé à 90 jours à partir de la dernière manifestation de harcèlement. Raison de plus pour ne pas laisser le harcèlement s'étirer en longueur. À la Commission canadienne des droits de la personne, la plainte doit être déposée moins d'un an après que l'acte de harcèlement a été commis. Pour ce qui est de la Commission de la fonction publique fédérale, on s'en tient habituellement à la même règle d'un an, sauf exceptions.

Si vous décidez de porter plainte à la CSST, il vous faudra faire preuve de beaucoup de persévérance et de patience. Non seulement le harcèlement psychologique est souvent difficile à prouver en lui-même, mais il est encore plus ardu de prouver que vos problèmes physiques et psychologiques sont causés par celui-ci. Présentement, très peu de plaintes sont acceptées à la CSST. Mais ne désespérez pas, car, en appel à la Commission des lésions professionnelles (Québec), le taux de succès augmente de beaucoup. De plus, les choses pourraient bien changer à la suite de l'entrée en vigueur de la nouvelle loi québécoise contre le harcèlement psychologique au travail.

Si vous faites l'objet de menaces et si vous croyez que vos biens ou même votre propre sécurité sont en danger, vous pouvez avoir recours au Code criminel du Canada. Vous avez aussi le droit de refuser de travailler dès que votre santé physique est mise à risque. Le droit de refus est un recours souvent oublié par les employés. Ce n'est pas facile à faire, mais l'option est tout de même disponible.

Prenez garde de ne pas recourir à des ressources ne s'appliquant pas à votre cas. L'abus de recours pourrait être possible de réprimandes, d'amendes ou de poursuites. Se plaindre de harcèlement, c'est porter de sérieuses accusations ; si la plainte est mensongère, beaucoup de tort aura été causé au présumé harceleur. Vous avez le droit de vous tromper, mais vous devez tout faire pour éviter les erreurs ou les exagérations. Il n'y a pas de place ici pour les représailles de quelque nature que ce soit. Tout comme l'employeur a des responsabilités face à ses employés, les employés en ont eux aussi envers les autres employés et leur employeur. Accuser à tort, c'est, en quelque sorte, devenir soi-même un harceleur. Nous avons tous un rôle à jouer afin de maintenir un milieu de travail sain, dépourvu de harcèlement.

Si, par contre, vous êtes vraiment victime de harcèlement et que vous portez plainte, soyez sur vos gardes lorsque vous aurez commencé vos procédures en justice. Votre agresseur cherchera à se protéger et peut vous attaquer en redoublant d'efforts. Après tout, vous le mettez dans l'eau chaude, et cela lui donne une raison de plus de vouloir vous éliminer. Il peut donc tenter de vous imputer les blâmes les plus infâmes et vous tendre des pièges de façon à vous discréditer. Il pourra se servir de toutes les armes qu'il a en sa possession. Ou encore, il peut se faire tout agneau et chercher à vous amadouer afin que vous retiriez votre plainte ou dans le but de montrer devant témoins un comportement approprié. Il peut aussi se faire particulièrement gentil avec les autres. Des «cadeaux», tels que des promotions ou promesses de toutes sortes, peuvent être donnés aux témoins potentiels afin d'acheter leur silence. De votre côté, tout au long du processus de défense, de négociation, de conciliation ou de médiation, il serait préférable que vous vous absteniez de rencontrer les témoins, car on pourrait affirmer que vous avez essayé de les influencer.

Confronté à une plainte de harcèlement psychologique au travail, l'employeur a le devoir de faire les gestes nécessaires pour remédier à la situation. En plus d'être tenu responsable de ses propres actions, l'employeur peut avoir à répondre des fautes de ses employés. S'il réagit trop tardivement, il peut en être blâmé. Il doit donc affronter le problème et tenter de faire cesser toute forme de harcèlement dès qu'il en prend connaissance. Il n'existe malheureusement aucune garantie que votre employeur prendra ses responsabilités dans votre dossier.

L'employeur a aussi l'obligation de compenser l'employé victime des méfaits d'un autre employé dans le cadre de son emploi. Il y a donc possibilité que l'employeur décide de faire enquête. Si tel est le cas, il peut décider de séparer les individus en cause ou d'affecter l'un d'entre eux à un autre poste. Cependant, cette manœuvre ne doit pas, en aucune façon, résulter d'une prise de position envers la plainte. Il s'agit uniquement de minimiser les dommages qui pourraient survenir. Ce n'est qu'après avoir pesé soigneusement les pour et les contre qu'un employeur peut prendre une telle décision. Si vous n'êtes pas satisfait du choix de votre employeur, vous pouvez contester. Par exemple, si l'on vous affecte à un autre poste et que cela vous pose trop d'inconvénients, vous pouvez contester votre mutation. Si, par ailleurs, vous croyez qu'une autre solution servirait mieux vos intérêts, et si, malgré cela, votre employeur rejette l'option que vous proposez, vous pouvez défendre votre position.

Comme vous voyez, la procédure peut être assez longue. À partir d'une seule plainte, d'autres plaintes peuvent resurgir, en raison des décisions prises par les différentes parties en cours de route. C'est pour cela que les outils que je vous donne peuvent devenir précieux, afin de conserver votre santé physique et mentale. D'autre part, si on vous offre la médiation, que ce soit ou non à la suite d'une enquête, assurez-vous que cela vous convient.

Rappelez-vous que vous avez droit à un traitement équitable. Vous devez être à l'abri de toutes tentatives de représailles, quelles qu'elles soient et de qui que ce soit (si vous n'avez rien à vous reprocher, cela va sans dire). Et n'oubliez pas non plus que vous avez droit à la confidentialité ; vous êtes protégé par la Loi sur la protection des renseignements personnels.

Tel que je l'ai dit plus tôt, il est possible qu'il y ait enquête. L'enquêteur devrait faire une entrevue avec la présumée victime, l'employeur, les témoins et le ou les présumés harceleurs. Ne vous attendez pas à ce que l'enquêteur vous donne des renseignements ; il doit demeurer impartial. Si vous avez porté plainte à la CSST pour lésion professionnelle, il vous faudra une attestation médicale ; il se peut que l'on vous en demande une également si vous faites affaire avec les tribunaux. L'enquêteur devrait vérifier certains éléments factuels. Il aura d'abord à déterminer si les allégations contenues dans la plainte sont fondées, non fondées ou vexatoires. Lorsque les témoins d'une plainte ont été rencontrés et écoutés, l'enquêteur, le médiateur ou le conciliateur rédige un rapport. Il est préférable que l'enquêteur et le médiateur soient indépendants par rapport à l'entreprise. Ils doivent faire preuve d'impartialité, de confidentialité, de compétence et doivent démontrer de la crédibilité. Il est aussi recommandé que l'enquêteur ne soit pas la même personne que le médiateur. Méfiez-vous des conclusions tirées par les enquêtes internes. Je ne dis pas qu'elles ne sont jamais valables, mais assurez-vous de leur crédibilité et de leur validité. Permettez-moi de vous donner un exemple. Imaginez que l'on enquête sur votre plainte. C'est un responsable des ressources humaines de votre entreprise qui effectue cette enquête. Afin de ne pas trop «remuer» les choses au travail, cette personne décide de questionner les gens par un questionnaire écrit. Vos collègues doivent répondre à certaines questions et tout est fait dans l'anonymat. Cependant, l'opération n'est pas menée sous des conditions très contrôlées ; au lieu d'être complétés au travail, les questionnaires sont remplis à la maison et les collègues peuvent donc se consulter entre eux.

Vous pouvez voir que, par la façon dont elle s'est déroulée, l'enquête perd ici en validité. Puisqu'ils ont la possibilité de se consulter, les collègues peuvent facilement écrire des réponses semblables et influencer par-là même les conclusions de l'enquête. Il peut y avoir collusion. Les résultats d'une telle enquête ne pourraient pas être considérés comme valables. Il serait trop facile pour un groupe de faire coalition contre une seule personne et cacher ainsi le harcèlement.

Si l'enquête ne repose que sur des témoignages, l'enquêteur devra peser ceux-ci pour faire ses conclusions. Cela veut dire que la crédibilité des témoins prend une place importante. Là encore, et je le répète, si vous avez pris le temps de noter par écrit plusieurs détails, vous paraîtrez plus crédible. La crédibilité se démontre par la constance dans les différents témoignages d'une même personne, la plausibilité et la corroboration des faits. C'est donc vrai de dire que si, lors de vos témoignages, vous relisez les notes que vous avez écrites au moment même des événements, vous serez plus crédible aux yeux de l'enquêteur qu'un individu qui se fierait seulement à sa mémoire et qui pourrait, conséquemment, oublier ou déformer les faits. La partie adverse pourrait également influencer plus facilement un tel individu ou le rendre confus. Vous devez prévoir que, quand le temps viendra de témoigner, il se peut que vous vous sentiez tellement épuisé, anxieux, confus, déprimé ou même agressif, en raison du tort que l'on vous cause, que cela peut ternir l'image que vous projetterez. Aussi, si vous avez amassé des éléments de preuve, comme des courriels insultants, il n'y aura plus seulement des témoignages, mais il y aura également des documents écrits appuyant vos dires. Le rapport d'enquête devrait être déposé à l'employeur, au syndicat qui vous protège (s'il y en a un) et à la commission devant laquelle vous avez déposé votre plainte.

Le rapport d'enquête peut mener à une médiation, avec l'accord de l'employeur et du plaignant. Cette démarche a pour but de résoudre la problématique en tentant d'en arriver à une entente entre les deux parties. Un médiateur préside normalement le déroulement d'une médiation. Il arrive parfois qu'un rapport d'enquête et le recours à la médiation ne règlent pas le problème. La plainte peut alors être soumise à une autre instance : à un tribunal d'arbitrage, à un tribunal de droit commun, à la CSST, à la Commission des relations de travail, à la Commission des droits de la personne et de la jeunesse, etc. Au Québec, suite à l'entrée en vigueur de la nouvelle loi, c'est la Commission des relations de travail qui recevra la plainte, si vous n'êtes pas régi par le Code canadien du travail. Cette plainte peut être soumise au tribunal par l'une ou l'autre des parties. Au cours du processus qui en découlera, votre passé professionnel pourrait être scruté à la loupe. Il est possible que votre parcours professionnel ne soit pas parfait ; prenez-en conscience et soyez honnête avec votre représentant syndical, votre avocat ou le représentant qui vous défend ou vous aide. Ils pourront mieux vous conseiller et vous défendre. Il y a fort à parier que les fautes que vous avez pu commettre ne justifient en rien le harcèlement dont vous avez souffert.

Dans une cause civile de ce type, il n'est pas question de doute raisonnable comme c'est le cas en droit criminel. Le ministère fédéral de la Justice résume ainsi le processus d'enquête qu'il utilise dans les cas de harcèlement au travail :

> – réviser la plainte et les documents qui l'accompagnent ;
> – inviter l'intimé à répondre par écrit ;
> – interroger personnellement le plaignant et l'intimé ;
> – déterminer les témoins à interroger ;
> – interroger chaque témoin personnellement ou par téléphone ;
> – obtenir des déclarations écrites et signées ;
> – remettre à chaque témoin une copie de sa déclaration ;
> – recueillir la preuve ;
> – examiner la preuve et déterminer si les allégations sont fondées ou non ;
> – remettre au Bureau un rapport intérimaire qui sera révisé par un officier qui administre la Loi sur la protection des renseignements personnels avant d'être acheminé aux parties ;

– inviter les parties à soumettre leurs commentaires ;

– si nécessaire, communiquer avec les parties par voie de téléphone avant la préparation du rapport final ;

– soumettre au Bureau un rapport final avec analyse et conclusion eu égard à chacune des allégations ;

– remettre au Bureau tous les originaux obtenus lors de l'enquête.

(Tirés du livre *L'abus d'autorité au travail : une forme de harcèlement,* de Jean-Maurice Cantin.)

Déroulement du procès, de la médiation ou de la conciliation

Si votre cas est très sérieux et si vous estimez ne pas avoir obtenu justice, il est possible que vous décidiez de poursuivre votre démarche plus loin en optant pour un procès ou un arbitrage. Il se peut aussi que votre syndicat engage un avocat et que votre situation soit défendue dans un tribunal administratif ou même à une instance supérieure. Dans les arbitrages ou les tribunaux administratifs, un arbitre fait office de juge et émet un jugement final sur l'affaire. Le déroulement de base dans les deux cas est le suivant. Il y aura d'abord l'accusation ou le grief que votre avocat portera envers l'employeur. Viendront ensuite le plaidoyer, la contre-preuve, les plaidoiries et le jugement. Attendez-vous à entendre des choses à votre propos qui ne seront pas tellement agréables. Des paroles et des écrits pris hors contexte peuvent être utilisés pour vous discréditer. Les rapports de force entre les deux parties peuvent être inégaux. Les journées de présentation au tribunal ou en arbitrage sont épuisantes. Essayez de vous relaxer et de vous distancer des propos que vous entendrez. Obtenez le soutien de vos proches. Préparez-vous. Parlez-en à votre avocat ou à votre représentant syndical. Demandez conseil. Prévoyez des journées de repos et des repas légers.

Les sanctions

La justice n'est pas parfaite. Nos lois sont composées de textes interminables que doivent étudier longuement les avocats et les juges afin de représenter les victimes, mais aussi les coupables ! Plusieurs de ces lois datent de longtemps et ne sont remises à jour que lorsque de nouveaux cas les mettent au défi. Ainsi donc, la reconnaissance du harcèlement au sens large est, à elle seule, plutôt jeune. Le harcèlement sexuel est difficile à démontrer en raison de sa nature. Il en est de même pour le harcèlement psychologique au travail. Dans le domaine de la violence, les coups portés au corps sont beaucoup plus faciles à prouver que ceux assenés à l'esprit. Et comme rien, de toute façon, n'est simple dans le domaine de la justice, imaginez...

Au Canada, donc, il n'existe encore aucune loi spécifique contre le harcèlement psychologique au travail, sauf au Québec. Un projet de loi a été déposé aux Communes en ce qui a trait aux employés de la fonction publique fédérale ; une proposition fut présentée en première lecture le 24 septembre 2003 par la députée bloquiste Diane Bourgeois. Celle-ci définit le harcèlement psychologique comme étant «une conduite vexatoire se manifestant par des comportements, des paroles et des actes hostiles, inopportuns et non désirés, portant atteinte à la dignité ou à l'intégrité psychologique du fonctionnaire et qui entraîne, pour lui, un milieu de travail néfaste». La loi inclurait aussi dans sa définition «l'abus d'autorité qui se produit lorsqu'une personne exerce de façon indue l'autorité dans le dessein de compromettre l'emploi d'un fonctionnaire».

Les cas de jurisprudence et les différentes politiques concernent seulement l'abus d'autorité, le harcèlement en général ou le harcèlement sexuel. Il en résulte donc que la personne victime de harcèlement psychologique de la part d'un collègue ou autre ne bénéficie pas d'une défense facile. Au Québec, la CSST commence à peine à accepter certains cas de harcèlement psychologique au travail en tant qu'accident de travail et le combat n'est toujours pas facile. La démarche demeure longue et ardue. La CSST avoue même que ses inspecteurs manquent de formation sur le sujet ! Cela ne facilite pas l'identification de la problématique et, au bout du compte, c'est souvent le harceleur qui est favorisé.

La France a mis en place une loi bien claire. Voici ce que cette loi dit : «Aucune personne ne doit subir des agissements répétés qui dégradent ses conditions de travail, portent atteinte à ses droits et à sa dignité, altèrent sa santé physique ou mentale ou compromettent son avenir professionnel », art.L.122-49 alinéa 1 du code du travail. La Suède est aussi l'un des pays qui protègent les travailleurs à cet effet. La situation est prise de plus en plus au sérieux dans de nombreux pays et plusieurs d'entre eux envisagent sérieusement la mise en place d'une loi. C'est le cas au Canada, mais aucune résolution n'a pour l'instant été acceptée.

Cela veut dire qu'en général, les sanctions sont imposées par l'employeur ou par l'instance où notre plainte a été déposée. Elles tiennent compte de la gravité de la situation ainsi que d'autres facteurs, tels que la fréquence et la répétition des gestes, la durée, les effets du harcèlement (stress, maladie, perte d'estime de soi, etc.), le nombre de victimes qui pourraient être découvert, la tolérance du milieu, l'admission de la faute et le repentir du fautif, etc. On peut assister à une simple réprimande verbale et/ou écrite, à une suspension sans solde plus ou moins longue ou à un congédiement. Il est possible aussi qu'un autre type d'entente se produise entre vous et l'employeur.

En ce qui vous concerne, voici ce qui peut arriver : la réintégration dans votre emploi, l'annulation de toutes sanctions qui peuvent vous avoir été imposées, la réaffirmation de vos droits et privilèges, la cessation de toute mesure de représailles ou autres mesures disciplinaires injustifiées, le versement d'un salaire de remplacement et/ou d'un montant forfaitaire compensatoire pour les ennuis subis.

La lutte que vous entreprendrez, si vous choisissez de la poursuivre, ne sera pas une partie de plaisir. Quelle qu'en soit l'issue, la démarche vous demandera, à vous et à votre entourage, une quantité énorme d'énergie et vous ne l'aurez pas toujours. Cependant, les enjeux sont importants : il s'agit de défendre votre identité personnelle, votre intégrité professionnelle, la réussite de votre carrière présente et future, et le maintien de votre sécurité financière. Sans compter le fait que vous mettez au jour des situations qui ne doivent pas être tolérées dans votre entreprise et dans la société. Vous n'êtes ni sans outils ni sans aide. Si vous avez suivi plusieurs de mes conseils, vous avez mis les chances de votre côté.

En ce qui concerne le processus judiciaire, et même si cela peut vous étonner, justice ne rime pas avec vengeance. La justice sanctionne afin de protéger la société, pas pour venger les victimes. La vengeance est simplement une passion motivée par la colère. Elle n'a donc aucune fonction sociale. Elle va à l'encontre même de la justice et les actes de représailles sont condamnés par la loi. Notre justice voit d'abord aux intérêts de la société. Si elle décide de punir les coupables, ce ne sera que pour les empêcher de recommencer.

Or, la victime, qui fut touchée, blessée dans sa dignité, dans son droit d'être qui elle est, ressent alors un déficit symbolique. La nature même d'un acte de violence est de susciter une réponse et la justice renie l'usage de geste de représailles ; c'est donc dire que la victime doit réprimer ses instincts naturels de vengeance.

Il en résulte que, même si vous recevez une compensation financière, même si vous êtes réintégré dans votre travail, même si on vous donne une promotion en guise de compensation, etc., sur le plan de votre ressenti, vous aurez le sentiment que justice n'a pas été rendue. Vous êtes une victime et comme toutes les victimes, vous éprouverez un sentiment de manque à gagner. En ce sens, la justice ne peut pas complètement vous aider. Se débarrasser de ce sentiment de manque sera une autre étape que vous aurez à traverser une fois que votre feuilleton judiciaire sera terminé.

Toutefois, comprenez-moi bien, votre droit n'est pas ignoré, en ce sens que la justice tentera bel et bien d'établir l'existence ou non de culpabilité du fautif et de lui infliger une sanction. Cependant, vous pourriez avoir l'impression que la souffrance que vous avez vécue n'a pas été reconnue de façon satisfaisante. Ce sentiment d'injustice deviendra votre lot. Les mesures compensatoires ont justement pour raison d'être d'aider les victimes à faire la paix avec le passé. Mais tout l'argent du monde ne pourra suffire à effacer votre souffrance. La justice ne peut pas réparer les déchirures ni soigner les blessures que les conflits ont entraînées. Mais elle est un préalable au pardon.

Les difficultés que vous pouvez rencontrer

Il y aura certainement des gens qui croiront que vous êtes coupable. Comme nous l'avons dit plus tôt, certains concluront que vous êtes un employé «indésirable», souvent bien avant que vous n'ayez porté plainte. Même les supérieurs de votre patron ou votre patron immédiat — dans les cas de harcèlement psychologique par un collègue — peuvent avoir une grande difficulté à vous croire, malgré leur bonne volonté. N'oubliez pas que votre agresseur est souvent également un excellent manipulateur. Devant les autres, il peut s'avérer doux, exceptionnellement professionnel et irremplaçable pour l'entreprise. Ce qu'il dit dans votre dos lorsque vous n'êtes pas là pour vous défendre peut alors sembler crédible aux yeux des autres, même si la réalité est tout autre.

Il y a aussi ceux qui penseront que vous exagérez. Ils diront que l'agresseur est peut-être partiellement coupable, mais que sa faute n'est sûrement pas aussi grave que vous ne le prétendez. Et même si le harcèlement se passe sous leurs yeux, certains collègues peuvent néanmoins avoir une interprétation des faits différente de la vôtre. N'oubliez pas que votre harceleur, au début, ne porte des coups qu'en l'absence de témoins et s'il est tout de même surpris en flagrant délit, il réussit facilement, grâce à ses talents de manipulateur, à vous rendre responsable de son attitude destructrice. Après tout, vous êtes l'employé indésirable qui a commis une faute! Les collègues peuvent ainsi, du moins au début, se laisser influencer. Ils deviennent intolérants ou passifs envers vous. L'intolérance est une forme de violence légère et la passivité permet que cette violence continue d'être faite. Je l'ai déjà dit, ils hésiteront à dénoncer, souvent par peur de devenir la prochaine victime. Par contre, ils oublient qu'ils deviennent ainsi asservis au harceleur et à ses intentions. Sans s'en apercevoir, ils vivent une certaine quantité d'insécurité et sont donc eux-mêmes victimes de violence! C'est la présence même de cette violence, de cette terreur, qui les porte à se tenir au loin et de là découle l'isolement de la victime dont j'ai parlé auparavant. Indirectement, ils détiennent, par leur inaction, une certaine part de responsabilité en ce qui concerne la violence faite sur la victime. Ils sont à la fois victimes et complices. Le fait de ne pas être le seul témoin parmi leur équipe de travail dissout leur sentiment de responsabilité. Pourquoi l'un plus que l'autre devrait mettre sa position en péril en défendant la victime? La psychologie des foules a démontré ce phénomène. N'y a-t-il pas eu des gens qui furent témoins, et de près, de nombreux meurtres durant la Deuxième Guerre mondiale et qui ne réagirent pas, malgré le fait qu'ils désapprouvaient cette violence? Avons-nous besoin d'exemples si monstrueux que ceux de la guerre pour démontrer la passivité en milieu social? Ne connaissons-nous pas tous des situations où personne n'a osé s'interposer alors que quelqu'un était victime d'insultes? Qu'en est-il du «J'exécute les ordres»; est-ce que cela constitue une excuse valable? Sur le plan moral, où s'arrête la responsabilité des individus les uns envers les autres?

Si vous décidez de quitter votre emploi, on peut essayer de vous faire changer d'idée. Vos proches peuvent avoir de la difficulté à vous croire et penser que vous faites le «difficile». Si, de surcroît, vous avez des difficultés financières, votre conjoint et vos proches peuvent désapprouver et ne pas comprendre votre décision. Des complications peuvent s'ensuivre. Il est donc préférable que vous preniez le temps de bien leur expliquer les raisons de vos choix pour obtenir leur soutien. Au minimum, demandez-leur de demeurer impartiaux et de respecter vos décisions.

Votre syndicat peut se renseigner sur vous, à votre insu, avant de vous appuyer. C'est que défendre une telle cause n'est pas simple; le harcèlement n'est pas facile à prouver. Il se peut que vous soyez déçu de leur appui, que vous le jugiez insuffisant. D'un autre côté, il se peut aussi que vous en soyez très satisfait. C'est un peu comme une police d'assurance, c'est lorsque vous faites une réclamation que vous constatez si elle vous couvre efficacement ou non!

Vous pouvez aussi être surpris de vos réactions face à toute la situation. Par exemple, vous pouvez découvrir en vous une aptitude à ressentir de la colère et à entretenir un désir de vengeance dont vous ne pensiez pas être capable. Vous pouvez vous étonner de la baisse d'estime de soi que vous rencontrez. Vous pouvez découvrir l'importance que le travail a dans votre vie et la valeur que votre carrière a aux yeux de votre entourage. Vous pourriez aussi être surpris de voir vos priorités changer. Le choix pour lequel vous allez opter — à savoir vous battre ou pas, et de quelle façon — peut grandement vous étonner. Vous pouvez également avoir de la difficulté à comprendre pourquoi vous avez été choisi comme victime (en fait, la réponse pourrait bien être qu'il n'y avait aucune raison particulière).

Vous trouvez que tout cela n'est pas très positif? Le déroulement peut aussi être différent. Vous pouvez avoir un syndicat qui vous appuie magnifiquement, un conjoint et des proches qui prennent soin de vous, des amis qui vous soutiennent. Votre famille peut être convaincue que vous faites le bon choix, quel qu'il soit. Vous pouvez recevoir l'appui de sources inattendues. Vous pouvez aussi découvrir que, malgré la campagne de «salissage» menée contre vous, votre réputation professionnelle au sein d'un plus grand groupe, par exemple votre association professionnelle, est intacte. Ce sera une belle preuve de votre professionnalisme, de votre crédibilité et de votre intégrité.

L'important ici est de constater que vous ne pouvez pas tout prévoir à l'avance. N'essayez pas de tout contrôler. Votre avocat ou votre syndicat s'ajustera selon les événements. Les réactions des différentes personnes qui sont en contact avec vous, de loin ou de proche, peuvent être aussi diversifiées les unes que les autres. Vous devez vivre au jour le jour et vous entourer autant que possible de positif. Gardez foi en la vie, car quoi qu'il arrive, vous vous en sortirez pour le mieux.

La compensation

Si vous vous êtes battu en justice, devant la CSST ou toute autre commission, et que vous avez gagné, il est possible que l'on vous offre une compensation financière. Celle-ci peut avoir été imposée par la loi ou elle peut avoir été offerte par l'entreprise en vue d'un règlement à l'amiable. Il est possible que l'on vous propose un marché. Par exemple, l'entreprise vous paierait un certain nombre d'années de salaire pour vous permettre de retourner aux études en échange de l'abandon, de votre part, des charges judiciaires et avec la promesse que vous quitterez l'entreprise. Devant les solutions qui s'offrent à la victime, celle-ci semble souvent la plus avantageuse. Mais elle peut aussi être problématique, car une fois la compensation financière reçue, l'employé se retrouve tout de même sans emploi.

Symboliquement, le but de la compensation financière, aux yeux de la justice, est de restaurer l'honneur bafoué, de dédommager la victime pour la souffrance et l'humiliation dont elle a souffert et de permettre à celle-ci de se réhabiliter. Si vous avez été victime d'une lésion professionnelle et que votre santé physique et psychologique a été atteinte, cette indemnité vous est versée sous forme d'un montant forfaitaire en raison du préjudice, des douleurs et de la perte de jouissance de la vie que vous avez vécus.

Il est aussi possible que votre compensation s'effectue en termes de paiement pour le temps que vous devez prendre en congé de maladie en raison des conséquences du harcèlement sur votre santé. La loi sur les accidents du travail prévoit une compensation équivalant à 90 % de votre salaire net. Cependant, il existe un maximum assurable. Vérifiez à quel montant celui-ci correspond au moment de votre demande. De plus, le fait de recevoir une compensation d'un tribunal ou d'une commission n'empêche pas l'exercice de plainte auprès d'autres recours ; vérifiez à ce propos les lois en vigueur dans votre province.

Néanmoins, la souffrance n'a pas de prix. Certes, une compensation financière peut donner un sentiment de victoire à la victime, si le montant est assez considérable pour que l'agresseur ressente à son tour une perte. Mais, au bout du compte, aucun montant d'argent ne peut totalement vous compenser pour les blessures subies. Votre coffre à trésors professionnels a été dépouillé de son contenu et, même si les autorités le remplissent de pièces d'or, cela ne remplacera pas la satisfaction que vous aviez dans votre emploi avant que les ennuis ne commencent ni la confiance que vous aviez en les gens dans votre milieu de travail ni la sécurité psychologique, etc. ; le harcèlement psychologique au travail laisse des séquelles à long terme.

La compensation financière n'est pas un échange comme les autres. Pensons, par exemple, à un contrat. Il est limité dans le temps et dans le contenu. Quand la somme et le produit/service sont échangés, les contractants sont quittes. L'affaire est close. C'est justement ce dont la victime aura besoin, bien plus que de l'argent : clôturer l'affaire. L'argent n'est qu'un outil. Puisque la valeur humaine n'aura jamais le même poids que l'argent, les deux parties ne peuvent être quittes, et l'affaire ne peut donc pas vraiment être fermée par une résolution financière. Elle le sera pour la société, pour la justice et même pour l'agresseur, mais pas pour la victime. L'argent aura acheté l'oubli. Et, malheureusement, le coupable devient alors doublement exonéré : il a payé sa « dette » et la victime est, en quelque sorte, humiliée, car elle « s'est laissée acheter ».

Décourageant ? C'est la réalité. Bien sûr, il vaut mieux recevoir de l'argent que n'avoir rien du tout. Car vous devrez quand même prendre soin de vous ; peut-être devrez-vous recevoir des traitements ou payer d'autres frais, comme pour poursuivre des études. L'argent demeure donc une compensation nécessaire. Mais elle n'est rien de plus qu'un prix de consolation. Cela veut dire qu'une fois l'affaire finie, il vous restera un bout de chemin à faire.

Victoire ou défaite ?

Voilà, vous avez porté plainte, il y a eu procès et tout le tralala, et vous avez gagné. Peut-être avez-vous été réintégré au travail ou peut-être vous a-t-on donné « quelque chose » pour que vous acceptiez de démissionner. Cela s'appelle une négociation hors cour. Ou bien vous avez décidé de ne pas vous battre et vous avez tout simplement changé d'emploi. Quoi qu'il en soit, vous avez simultanément perdu et gagné. Vous avez perdu un emploi qui vous convenait probablement — avant le harcèlement, bien entendu — et cela prendra un bout de temps avant que votre travail ne vous satisfasse pleinement de nouveau. Vous avez vu disparaître un peu de la confiance que vous aviez en les gens. Vous avez perdu des mois, voire des années, à vous battre pour vos droits. Toutes ces énergies auraient pu être mises ailleurs.

Qui plus est, il est fort possible que votre employeur, même s'il est coupable, n'admette jamais sa culpabilité. Des excuses ? Dans la plupart des cas, il faut oublier cela ! Si, ayant accepté un arrangement à l'amiable, vous ne remettez pas les pieds au bureau, votre harceleur peut très bien lancer la rumeur que vous avez perdu votre cause. Il sait bien que personne n'ira vérifier ! Les mensonges peuvent se poursuivre… Dans certains cas, on évitera à tout prix que vous ne manifestiez votre victoire. On peut, et je crois que cela arrive plus fréquemment qu'on le pense, vous faire signer de papiers officiels vous obligeant à garder le silence sur l'affaire…

Malgré ces éventualités, ne les laissez pas vous contrôler. Si vous avez gagné, mais que vous ne réintégrez pas votre milieu de travail, accordez-vous la faveur bien méritée d'afficher votre fierté devant vos anciens collègues lorsque vous retournerez au bureau chercher vos effets personnels. Ne les laissez en aucun cas vous faire sentir comme un pestiféré ou un monstre.

En fin de compte, vous avez gagné. Non seulement vos dires ont été appuyés par un juge ou un arbitre, mais vous vous sentez réaffirmé dans votre dignité. Vous avez regagné votre confiance en vous ; vous êtes conscient que vous êtes une personne valable et vous savez que vous êtes un adulte capable de décisions. Ce n'est pas peu. Vous avez peut-être gagné un nouveau poste ou un nouvel emploi, c'est-à-dire une occasion de prendre un nouveau départ. Vous ne vous êtes pas battu ou vous ne songez pas à le faire ? Vous avez tout de même gagné. Si vous mettez en pratique certains des conseils qui se trouvent dans ce livre, vous avez gagné du fait de ne pas vous être laissé détruire. Quel que soit le choix que vous faites, vous perdez sur certains points, mais vous gagnez sur d'autres. « Je suis sortie de ces combats épuisée, ne supportant plus la moindre situation conflictuelle », témoigne une personne ayant souffert de harcèlement. « Mais j'ai la tête haute, car je suis fière de m'être bien battue, avec mes seules armes. Aujourd'hui, je respire, je vis calmement, sainement… »

Cinquième étape : prenez le temps de vous reconstruire

Que vous vous trouviez en pleine situation de harcèlement ou que vous vous soyez sorti de cet état de fait, il est bon de vous donner du temps pour panser les plaies que le harceleur vous a infligées. Peu importe votre historique personnel, le harcèlement vous a blessé. Même si vous n'avez pas laissé les choses s'envenimer, même si vous avez décidé de prendre des notes dès les débuts et même après avoir porté plainte rapidement, croyez-moi, certaines blessures ont été causées et il est préférable que vous leur portiez attention afin de les soigner. Tout dépendant de votre situation, cette étape sera plus ou moins longue et ardue. En règle générale, plus vous aurez pris conscience des effets que le harcèlement a eus sur vous au moment où il s'est produit, moins vous aurez de travail de reconstruction à faire. D'ailleurs, cela n'a pas besoin d'être un «travail». C'est plutôt une occasion de grandir à travers cette expérience et la dépasser. Chaque expérience que nous vivons nous façonne et nous permet de devenir de plus en plus grand, dans la mesure où nous passons par-dessus et tirons des apprentissages propres à nous seul. Il existe plusieurs manières d'assimiler les apprentissages que peut nous apporter une expérience de vie. Les moyens ou les idées que j'offre dans la section qui suit ne sont pas exhaustifs. L'important, il me semble, est que vous surmontiez les difficultés que vous a causées l'expérience en question. Vous avez été une victime de violence et de terreur, et cela n'est pas négligeable. Sans vous complaire dans la victimisation, dirigez certaines de vos énergies à panser vos plaies, afin d'arrêter les effets dévastateurs engendrés.

Céline a été victime de harcèlement au travail. Cette situation ne s'est pas vraiment prolongée sur une longue période, car dès le début, elle commença à prendre des notes et, avant peu, elle porta plainte. Des griefs furent déposés et un arbitrage s'ensuivit. Elle gagna sa cause, mais tout le processus demanda quelques mois — tout près d'une année, en fait — et, entre-temps, ses relations avec ses collègues s'étaient détériorées. Comme il en va souvent dans les cas de harcèlement, plusieurs de ses collègues de travail se sont éloignés d'elle. Des mensonges furent propagés et ses propos furent déformés. L'atmosphère était devenue si infernale que Céline, déçue, décida de se chercher un autre emploi. Elle se trouva un emploi mieux rémunéré et plus prometteur. Cela l'aida grandement à regagner sa dignité, sauf qu'elle prit conscience que toutes ces épreuves l'avait épuisée, physiquement et psychologiquement. Elle remarqua aussi que sa confiance en les autres était amoindrie. Finalement, elle nourrissait une colère ainsi qu'un certain désir de vengeance, ce qui ne lui ressemblait pas. Elle n'aurait jamais concrétisé ses fantasmes de vengeance, mais les moindres petits pépins qui arrivaient à son harceleur lui faisaient plaisir.

Malgré une fin favorable à sa situation, Céline ressentit beaucoup de colère envers le responsable du harcèlement. Les mois passés n'avaient pas été faciles et elle ne pouvait s'empêcher de penser qu'elle aurait probablement été obligée de retourner dans ce milieu de travail si elle n'avait pas eu un autre emploi à sa portée. Le retour à son poste n'aurait pas été facile, malgré le fait qu'elle ait gagné sa cause. Le harcèlement aurait difficilement cessé et ses relations avec ses pairs ne seraient peut-être jamais revenues à la normale. Elle était parfaitement consciente des énergies qu'elle aurait eues à dépenser. De là sa colère. De plus, le fait d'avoir entendu tant de mensonges à son égard, certains énoncés par les collègues avec qui elle aurait eu à travailler, n'était pas tellement réjouissant. Il aurait été impossible de rebâtir une relation de confiance avec eux.

Cet exemple démontre que, malgré une conclusion favorable, Céline restait prisonnière de la colère. Elle ne pouvait nier les effets vicieux que le harcèlement continuait d'avoir sur elle — sur son niveau d'énergie, sur sa fierté, etc. Céline prit la décision de se débarrasser de sa colère et de ses désirs de vengeance. Elle prit d'abord conscience des sentiments négatifs qui l'habitaient et prit les mesures nécessaires pour s'en soulager. Ses croyances lui signifiaient que la colère, si elle ne s'en délivrait pas, finirait par la détruire. Elle dépensa donc temps et énergies à se « réparer ». Elle dépassa sa colère et son désir de vengeance. Elle réussit aussi à rebâtir une confiance en les autres en milieu de travail.

Immanquablement, être victime de violence a des conséquences. Que vous en sortiez vainqueur ou pas, cette expérience fait partie de votre vécu et c'est à vous de voir si elle l'enjolive ou si elle vous nuit. Il est fort probable que, si vous ne consacrez pas d'efforts pour vous reconstruire, vos blessures auront de la difficulté à se cicatriser. En revanche, si vous vous employez à soigner vos blessures ou, mieux, à tirer des enseignements de ces difficultés, les obstacles que vous avez dû surmonter deviendront alors source de renforcement et d'embellissement intérieur. Votre être profond deviendra plus solide et sa spécificité lui ajoutera de la distinction. La résilience est cette qualité qui a permis aux victimes des pires situations de s'en sortir : en voyant dans les expériences difficiles des occasions d'apprentissage. Savoir trouver le bonheur et ne pas se laisser empoisonner par le souvenir des atrocités qui nous ont été faites est la clé du dépassement de soi. Voici donc quelques méthodes pour vous reconstruire ; ces trucs peuvent non seulement être mis en pratique après la fin du harcèlement, mais ils peuvent également être utilisés au moment même où celui-ci se produit.

La thérapie

Notre société a maintenant pris conscience des effets produits par le harcèlement psychologique. La thérapie constitue un moyen de soulager et de guérir les sentiments de frustration causés par les offenses et les gestes du harceleur. La thérapie permet de reconnaître les souffrances subies dans un passé récent ou lointain, et de les traiter. Cependant, pour que cette thérapie soit efficace, la victime, aidée par le thérapeute, devra prendre sa souffrance et sa guérison en charge. Idéalement, la thérapie ne recherche pas une quelconque compensation, mais elle doit plutôt offrir une sorte de catharsis qui libère la victime du traumatisme subi. À l'instar du pardon, la thérapie mène à l'abandon du grief. Elle vous permet d'accepter le passé et de vivre le présent et le futur de façon plus harmonieuse. Pour ceux qui sont encore aux prises avec le harcèlement, la thérapie peut les outiller à mieux faire face à la situation et les soutiendra dans l'épreuve. Une thérapie peut aussi vous aider à faire plusieurs apprentissages. Si vous êtes accompagné d'un bon thérapeute, elle peut être très enrichissante.

Il peut être bénéfique, mais pas essentiel, de trouver un professionnel qui a de l'expérience dans le domaine du harcèlement. Tout bon thérapeute devrait être capable de vous aider quel que soit votre problème, mais il est parfois préférable de se tourner vers les spécialistes. Dans toute thérapie, la relation thérapeute-patient est ce qui prime. Assurez-vous donc que vous êtes à l'aise avec votre thérapeute et que les moyens utilisés par celui-ci ne vont pas à l'encontre de vos croyances ou de vos préférences. Par exemple, certains thérapeutes aiment utiliser des tests afin d'évaluer votre personnalité ou votre tempérament, et il se peut que vous n'aimiez pas ces méthodes normatives. Si tel est le cas, dites-le et voyez jusqu'à quel point ce thérapeute est capable d'adaptation face à vos besoins. Si vous n'êtes toujours pas à l'aise avec lui, essayez-en un autre. Vous pouvez obtenir des noms et des références par les associations professionnelles, les médecins, les cliniques communautaires et Internet. Ces sources peuvent aussi vous donner une foule de renseignements à propos de la psychothérapie en général.

Parler à un ami

Faute de thérapeute, ou même si vous en voyez un, confiez-vous à une personne de confiance. Parler à un ami, un prêtre, un responsable de pastorale, un parent, un conjoint, bref, une personne capable d'empathie et d'objectivité, peut s'avérer particulièrement thérapeutique. Cela vous offre la possibilité de faire sortir vos frustrations, d'être confirmé dans vos perceptions et de partager trucs et idées. Dans les situations difficiles, il suffit souvent d'avoir une oreille attentive et sans jugement. En plus, c'est gratuit !

Se ressourcer à travers les groupes d'entraide

Exprimer publiquement sa souffrance soulage. D'un côté, être en groupe donne un certain sentiment de pouvoir ; ce n'est plus un seul individu, mais tout un groupe qui veut reprendre ses droits. D'un autre côté, la victime ne se sent plus aussi isolée et elle réalise qu'elle n'est pas responsable des actes qui ont causé ses souffrances. Parler en groupe de son harceleur permet la dénonciation ; le déficit symbolique disparaît, car même si le nom de l'agresseur n'est pas cité, ses gestes et sa façon d'être sont exposés à la société. Le coup est ainsi relancé, permettant donc l'équilibre. L'agresseur ne peut pas répondre. Il n'y a pas résolution du conflit entre les deux individus à proprement parler, mais il y a une compensation symbolique.

Il y a beaucoup de travail à faire sur le plan du harcèlement psychologique au travail. Puisque le phénomène n'est pas reconnu depuis longtemps, peu de groupes d'entraide sont déjà formés. Seules quelques organisations offrent de l'aide sur ce point. L'organisme Au bas de l'échelle offre des services de défense des droits des travailleurs non syndiqués ainsi que d'autres formes d'aide, telles que de la formation, de la préparation à la médiation, etc. Il existe aussi plusieurs sites Internet qui permettent aux victimes de communiquer entre elles. Par exemple, vous pouvez vérifier le site www.veritrue.ca, dont la mission sociale est de protéger les travailleurs de la fonction fédérale contre le harcèlement psychologique qui accable ceux qui dénoncent les problèmes au sein du gouvernement. Leur objectif est aussi la formation d'une coalition canadienne. Il existe aussi un autre groupe sur Yahoo dans la catégorie « soutien moral ». Si vous n'avez pas, dans votre région, de groupes d'entraide spécifiquement conçus pour les victimes de harcèlement psychologique au travail, peut-être pourriez-vous vous joindre à un groupe portant sur le harcèlement en général ou le harcèlement sexuel ? Puisqu'il y a beaucoup de ressemblances entre ses types de violence, peut-être que cela pourrait s'avérer être une solution suffisante. D'un autre côté, vous pourriez créer vous-même un nouveau groupe pour les victimes de harcèlement psychologique au travail. Vous aiderez ainsi à démythifier le phénomène et vous contribuerez à la cause et à la société.

La thérapie par les activités de création, le sport ou la nature

Écrire un livre dans le but d'aider les autres qui vivent une situation semblable est une activité thérapeutique merveilleuse. Le journal personnel est un moyen tout aussi efficace. Correspondre avec un ami de confiance ou avec un parent éloigné permet également de mettre ses émotions sur papier.

La créativité est une façon extraordinaire de se ressourcer et d'exprimer ses angoisses, ses peurs, ses déceptions, ses frustrations, etc. Quelle que soit la forme d'art que vous choisissez, les arts visuels, le chant, l'écriture, le théâtre, l'artisanat ou autre, vous pouvez utiliser ces médiums pour extérioriser vos émotions. Vous donnerez ainsi une voix à vos sentiments et leur permettrez de « sortir ».

Pratiquer un sport que vous affectionnez particulièrement peut aussi être une excellente méthode de relaxation. Cela permet de porter votre attention sur autre chose que la malencontreuse expérience vécue. Le sport facilite aussi l'évacuation du stress. Les toxines physiques et émotionnelles peuvent être relâchées. Si vous ressentez énormément de colère, vous pouvez, par exemple, pratiquer le tae boe en aérobie, le karaté ou d'autres arts martiaux, et vous imaginer que chaque coup de poing ou de pied est votre vengeance ou l'expression de votre colère envers votre agresseur. Un petit mot d'avertissement, cependant : ne laissez pas cette colère vous habiter à tout jamais ou, pis encore, prendre de l'ampleur. Utilisez ces formes de thérapie pour ce qu'elles sont : une thérapie. Choisissez d'y mettre fin à un moment donné et de faire la paix. Chaque coup donné devrait diminuer votre «stock» de colère. Voyez à ce que celui-ci ne se remplisse pas à mesure.

Finalement, la nature est en elle-même une thérapie sans pareille. Marcher en forêt ou sur le bord de l'eau est, pour certaines personnes, une façon importante de se ressourcer. Faites de la bicyclette ou du patin à roulettes dans des sentiers naturels. Pratiquez le ski de fond au milieu des sapins ou la raquette sur les champs couverts de neige. Laissez le chant des oiseaux, le calme de la nature et son énergie vous envahir. Prenez le temps d'entrer en contact avec elle. La chaleur du soleil et sa clarté, la beauté de la pleine lune et la fraîcheur de la soirée, la solitude et le rythme d'une journée pluvieuse, l'odeur du vent et des arbres : laissez ces éléments et tous les autres vous envoûter.

Le besoin de reconnaissance

Lorsque vous avez été victime de violence, vous devez reconnaître votre résistance à vous délester d'un besoin essentiel : la compensation. Comme nous l'avons déjà vu, le désir de compensation, à la base, est la soif de vengeance que l'on ressent (que l'on ose ou pas se l'avouer), à la suite d'une agression. Nous ressentons ce besoin parce que notre relation avec autrui en est une de reconnaissance. Nous voulons tous être considérés par l'autre comme un être libre méritant le respect. L'essence des rapports sociaux est le respect.

C'est un échange de «dons»; chacun *donne* à l'autre de la considération et en attend en retour. Quand un individu manque de respect envers un autre, cet accord implicite est rompu. Si les coups ne proviennent que d'un seul côté, l'un des deux êtres humains dans la relation ressent une injustice profonde. Puisque l'homme est un être de relation, ce rapport brisé doit être résolu. Sans cela, la victime ne peut reprendre confiance en le système d'échange de dons. Il y a déficit. Puisque la nature a horreur du vide, la victime cherchera à remplir le manque à gagner. C'est un besoin inné. Plus la violence est importante, plus le déficit est grand. C'est pourquoi les victimes de grande violence réclament tant justice. Certes, ils ont à cœur d'empêcher qu'une telle injustice ne se produise à d'autres, mais leur préoccupation première est d'obtenir réparation. En réalité, ils cherchent à rétablir un rapport d'équilibre.

Alors que faire? La règle du «œil pour œil, dent pour dent» ne fait que continuer le rapport de coups indéfiniment. Il est préférable d'utiliser d'autres moyens.

La guérison

La guérison est longue. Sera-t-elle jamais complète? Je n'en suis pas certaine. Le harcèlement ressemble un peu au viol, en ce sens que la confiance que l'on a envers les autres est grandement affectée. Je ne suis pas certaine que vous retrouverez un jour le même niveau de confiance que vous aviez envers les gens. Peut-être est-ce mieux ainsi… Peut-être étiez-vous un peu trop naïf et généreux? Il est triste de songer que la générosité peut jouer des tours, mais c'est quand même une réalité. Les événements qui ont entouré le harcèlement ont provoqué des changements profonds en vous. Certains furent physiques, d'autres émotionnels et psychologiques. Vous avez aussi subi des pertes : perte de confiance, perte d'amis ou perte d'un emploi, etc. Toutes ces pertes vous font vivre des changements majeurs. Faire le deuil des pertes que vous avez subies est une démarche de guérison qui prendra du temps, selon l'ampleur des dommages. Quoi qu'il en soit, il est important de prendre le temps nécessaire pour soigner ses blessures et favoriser la cicatrisation.

Il vous faudra peut-être travailler sur vos souffrances, les reconnaître, les accueillir, les nettoyer et les transformer afin d'apprendre à quitter ce qui était pour réaliser ce qui est maintenant dans votre vie. Les sentiments de colère, de tristesse et de vengeance ne peuvent que vous détruire. Ne vous laissez pas ronger par ceux-ci et mettez vos efforts dans l'acceptation des faits, mais surtout, dans la nouvelle direction à prendre. Si vous êtes dans la période de guérison, cela veut dire que l'histoire fait partie du passé ou que, du moins, vous avez un moment de répit. Peut-être êtes-vous à la maison, à vous relever des effets nocifs dans l'attente des procédures judiciaires. Peut-être que la problématique est finie, que vous avez obtenu un règlement et que vous travaillez maintenant pour un autre employeur. Quelle que soit votre nouvelle situation, réalisez qu'elle constitue maintenant votre présent et ne laissez pas le passé l'envahir avec ses souvenirs négatifs. Vivez pour aujourd'hui! Prenez du mieux, soyez heureux! Agissez pour votre bien! Laissez derrière vous les récriminations, construisez quelque chose de positif pour vous ou les autres. La vie se chargera bien de retourner le mal à celui qui le sème. Respectez votre rythme de guérison et prenez soin de votre santé dans toutes ses facettes, et ce, une journée à la fois!

Être honnête avec soi-même

Regardez ce que vous auriez intérêt à changer en vous et à apprendre. Êtes-vous trop docile? Dépendant? Insécure? Ou bien serait-ce que vous n'avez pas la langue dans votre poche et que vous devriez faire preuve d'un peu plus de retenue? Devriez-vous montrer plus de discernement quant à votre ouverture envers les autres? L'importance que vous attribuez à vos supérieurs ou vos collègues serait-elle démesurée? Ou encore, serait-il possible que vous surestimiez votre propre importance?

Faites votre examen de conscience et améliorez les aspects de vous-même que vous estimez devoir changer. Construisez à partir de cette expérience de harcèlement. Sortez vainqueur, plus grand et plus fort. Tout périple dans la vie est source de transformation profonde. Gagnez au moins cela de votre épreuve. Si votre estime de soi est à rebâtir, regardez pourquoi vous l'avez laissée se détruire. La prochaine fois, ce ne sera plus possible.

Comprendre

Pour comprendre des relations aussi complexes que celles entre harceleur(s) et victime, il faut d'abord se renseigner. Lire ce livre est une première étape. Par contre, je n'entre pas ici dans les détails en ce qui concerne la psychologie du harceleur, de la victime et des collègues qui demeurent silencieux face aux sévices infligés. Mieux comprendre le phénomène, accroître vos connaissances sur les communications, les relations interpersonnelles et le monde du travail et ses lois, pourrait vous être utile dans l'avenir.

Vous pouvez aussi analyser votre vécu et en ressortir les éléments principaux. Malheureusement, il faut encore, dans le monde d'aujourd'hui, choisir avec précaution les gens avec qui on entre en relation. Certains individus sont des adultes matures pourvus d'un sens de l'éthique développé, mais d'autres le sont moins. Certains ont vraiment le «chacun pour soi» dans la peau!

Alors, comprendre les gens responsables, de près ou de loin, de la violence dont vous êtes victime vous permettra de redéfinir votre relation avec eux et avec les autres ultérieurement. Pardonner ou, du moins, accepter de mettre au rancart ce que l'un et l'autre ont fait ou n'ont pas fait, deviendra plus facile. N'oubliez pas que, même si vous avez quitté votre emploi, il est préférable que les ponts ne soient pas tous coupés avec les gens que vous connaissez. Il se peut qu'un jour vous vous retrouviez face à face avec eux, ou même, que vous soyez dans l'obligation de faire affaire avec eux professionnellement.

Lâcher prise

Il n'est pas facile de lâcher prise. Tout le long de notre vie nous avons à lâcher prise sur un aspect ou un autre de notre personne ou de notre existence. Je crois que c'est là une des grandes leçons que la vie nous donne. La vie est parfois dure. Par moments, elle frappe très fort. Elle n'est pas juste. Certains ont vécu des malheurs incroyables, bien pires que n'importe quels problèmes liés à un emploi. Mais le malheur des autres est-il vraiment une consolation? Non, pas du tout. S'il nous rappelle la chance que nous avons par rapport aux plus démunis, il ne nous console pas de nos propres malheurs. Mais, vous savez, nous voyons souvent la vie comme étant bien plus dure qu'elle ne l'est. Nous oublions continuellement de la vivre pleinement; au lieu de cela, nous ressassons sans cesse nos malheurs. Les malheurs devraient nous rappeler de vivre, de profiter des beaux instants, au lieu de nous enliser dans la colère, la haine et le désir de vengeance. Mettez vos bleus, vos cicatrices et vos marques dans un coin de votre esprit et sachez jouir des beaux moments qui se montrent à vous tous les jours. Même si vous êtes encore au milieu de cette lourde épreuve qu'est le harcèlement psychologique au travail, la vie ne vous laisse pas seul et ne vous offre pas que de pénibles instants! Le seul fait que vous ayez ce livre entre les mains prouve qu'elle vous tend un outil pour vous aider. Il s'est passé quelque chose, vos yeux ont été attirés par le titre ou un ami vous a conseillé de lire cet ouvrage. La vie est dure, mais elle est aussi généreuse. Il nous suffit de cueillir ce qu'elle nous offre chaque jour.

Voici un petit texte qui porte à réfléchir. Un conférencier bien connu commence son séminaire en tenant bien haut un billet de 20 $. Il demande aux gens: Qui aimerait avoir ce billet? Les mains commencent à se lever. Alors il dit: Je vais donner ce billet de 20 $ à l'un d'entre vous, mais avant, laissez-moi faire quelque chose avec. Il chiffonne alors le billet avec force et il demande: «Est-ce que vous voulez toujours de ce billet? Bon, d'accord, mais que se passera-t-il si je fais cela?» Il jette le billet froissé par terre et saute à pieds joints dessus, l'écrasant. Ensuite il demande: «Qui veut encore ce billet?» Évidemment, les mains continuent de se lever! Mes amis, vous venez d'apprendre une leçon… Peu importe ce que je fais avec ce billet, vous le voulez toujours, parce que sa valeur n'a pas changé, il vaut toujours 20 $.

Plusieurs fois dans votre vie, vous serez froissé, rejeté, souillé par les gens ou les événements. Vous aurez l'impression de ne valoir plus rien, mais en réalité, votre valeur n'aura pas changé aux yeux des gens qui vous aiment! En fait, si vous avez surmonté l'épreuve, il y a de bonnes chances pour que votre valeur, en tant que personne, ait augmenté. La valeur d'un individu ne réside pas dans ce que l'on a fait ou pas, mais bien dans ce que l'on est. Et rappelez-vous : vos expériences de tous les jours colorent et renforcent ou trouent et détruisent votre tissu de vie. C'est à vous de décider qu'est-ce que vous faites de chaque expérience. Si vous connaissez des ratés, vous pourrez toujours recommencer et atteindre vos objectifs, car votre valeur intrinsèque demeure intacte. Toutefois, aux yeux de plusieurs, votre valeur peut diminuer si vous vous enlisez dans la colère et le besoin de vengeance.

Alors jetez dehors votre haine et vos frustrations et commencez à vivre ! Les coups que l'on vous porte ou que l'on vous a portés ne font pas de vous un moins que rien. Ils ne réduisent pas votre valeur, pas plus qu'un billet de 20 $ ne perd sa valeur lorsqu'il est froissé. Par conséquent, n'accordez plus rien à ceux qui vous font mal. Ne les haïssez plus ; ce serait déjà trop leur donner, car vous leur accorderiez alors du temps et du pouvoir, en plus de leur consacrer vos énergies. Accordez-vous plutôt ce temps à vous-même, à vous aimer, à vivre pleinement, à vous guérir, à grandir ! Sachez reconnaître l'occasion de croissance qui se présente dans cette épreuve.

Faire place à la douleur

Il peut vous apparaître curieux que je parle maintenant de faire place à la douleur. Je ne veux certainement pas dire de vous complaire dans l'état de victime. Je veux simplement vous suggérer de prendre conscience de vos émotions de tristesse et de perte. Comme nous le savons, elles peuvent être cachées sous la colère et le désir de vengeance. Il suffit de voir, d'entendre et de sentir votre être blessé, sans plus. Mettez des mots sur votre douleur, si nécessaire. Certains écrivent un journal et cela leur permet de « déposer » leur douleur à l'extérieur d'eux-mêmes. Mise sur papier, elle leur appartient déjà moins. D'autres laissent leurs pleurs couler, seul ou sur une épaule conciliante. Quelle que soit votre méthode, reconnaissez votre douleur, car une blessure a été créée et vous souffrez, à différents niveaux. Au fur et à mesure que vous admettez et explorez votre douleur, vérifiez combien elle diminue avec le temps.

Assurez-vous qu'elle diminue parce qu'elle guérit et non pas parce que vous la réprimez ou la couvrez par la colère, la vengeance ou autre. Un jour, la douleur ne sera plus là et vous pourrez être fier de vous.

Accepter ses émotions

En même temps que la colère, il est possible que vous ressentiez des remords, un sentiment de culpabilité ou parfois même des émotions contradictoires. Vous estimez peut-être avoir enduré le harcèlement trop longtemps avant d'agir. D'un autre côté, vous demeurez attaché à l'emploi perdu et vous vous dites que si vous n'aviez rien fait, tout serait peut-être rentré dans l'ordre... Vous vous en voulez, mais vous en voulez aussi à votre bourreau ? Pour vous aider dans ce méli-mélo d'émotions contradictoires, prenez le temps de regarder les événements de façon rationnelle. S'il le faut, prenez un papier et écrivez. Pensez à la manière terrible dont la personne vous a traité et n'oubliez pas que vous êtes humain. Vous avez peut-être attendu pour toutes sortes de raison ; vous aviez peut-être peur pour votre emploi, vous en aviez financière-ment besoin, vous n'étiez pas certain de votre diagnostic, etc. N'oubliez rien des faits et des émotions que vous avez éprouvées. Écrivez-vous une lettre. Mettez sur papier votre colère, votre cul-pabilité, votre tristesse ou toute autre émotion ressentie envers vous-même et envers votre harceleur. Reconnaissez vos émotions comme étant naturelles et acceptables. Faites le deuil de ce qui aurait pu être et reconnaissez ce qui est, ici et maintenant. Ensuite, décidez du futur et agissez de manière à vous rapprocher du but que vous vous fixerez.

Apprendre

Pourquoi avez-vous dû affronter toutes ces douleurs ? Cette situa-tion extrêmement difficile est un appel à l'éveil vers quelque chose de nouveau. Je suis une adepte de cette croyance qui dit que l'on crée notre propre vie. Votre vécu est porteur de sens. C'est à vous de le découvrir. Les situations difficiles nous invitent à changer quelque chose, à revoir notre vision de la vie et nos croyances.

Des événements similaires reviennent tant que nous n'en retirons pas la leçon qui nous appartient d'apprendre. Vous avez créé cette douleur afin de vous amener à un niveau supérieur. Cependant, une même expérience ne renferme pas la même leçon pour tous.

Comprenez-moi bien, je ne suis pas en train de vous rendre responsable des agissements du harceleur. Vous n'avez aucun contrôle sur ses actes et ses paroles. Vous avez cependant le pouvoir sur la façon dont vous les gérez. Vous êtes responsable de vos actions et de vos pensées. Oui, la situation était difficile et, fort probablement, inégale et injuste. Sauf que dans le domaine de l'apprentissage, les excuses ne servent à rien. Être honnête avec soi-même et apprendre, c'est revoir, malgré la douleur et les efforts que cette démarche impose, ses actions, ses croyances, notre vision des choses et se demander en quoi elles ont contribué à nos souffrances. C'est s'exposer au changement. C'est être disposé à apprendre. C'est vous permettre de vous transformer pour que, plus tard, le monde autour de vous (ou, du moins, la vision que vous en avez) se change de lui-même, suite à votre propre changement. Car c'est précisément vos croyances et votre vision actuelle des choses qui vous retiennent dans les situations de douleur que vous connaissez. Choisir de changer sa propre vision, se demander si le regard que l'on porte sur la vie est adéquat, c'est permettre qu'un nouveau chemin se trace. La vie vous appelle à autre chose. À quelque chose de plus grand et de plus beau.

Pour apprendre, il faut regarder la douleur en pleine face et être prêt à changer en soi ce qu'il y a à changer. Il faut jeter à la poubelle ce qui ne nous sert plus, en mettant de côté notre colère ou nos tentations de sombrer dans un désir de vengeance ou dans la victimisation. Il faut avoir la sagesse de faire confiance à l'expérience et lui laisser tout son pouvoir d'apprentissage. C'est l'ultime source de créativité apte à vous propulser dans une nouvelle direction.

Une fois que vous aurez fait votre examen de conscience, que vous aurez formulé certaines hypothèses, il vous faut vous remémorer l'expérience et la revivre. Si vous êtes encore dedans, tentez de poser sur celle-ci un regard critique. L'apprentissage passe par l'action. Les connaissances et la compréhension sont des préalables, mais nous devons ensuite pratiquer et revenir sur l'expérience afin d'intégrer les connaissances acquises. Une fois que vous serez prêt à poser les yeux sur votre expérience, il importe de se recréer mentalement, de visualiser les événements dont vous avez été victime. L'objectivité est très importante, car vous voulez comprendre les différents éléments en jeu. Pas de colère, pas d'animosité, pas d'accusations. N'oubliez pas que, dans la relation harceleur-victime, vous avez, jusqu'à un certain point, renforcé les actes de l'agresseur. Vous voulez donc revoir les réponses que vous lui avez données. Il vous faut prêter attention. Si vous êtes encore dans une situation de harcèlement, vous pourrez vivre pleinement l'expérience, même si elle est douloureuse. L'expérience sera votre professeur. Son contenu détient tout l'enseignement dont vous avez besoin.

Quand vous avez bien en tête un événement en particulier, notez ce que votre harceleur vous disait, comment et pourquoi. Écrivez aussi ce que vous faisiez, comment vous lui avez répondu, pourquoi et, surtout, quelles émotions vous avez ressenties. Quelles croyances sous-jacentes motivaient ces émotions ? Entretenez-vous certaines peurs ? Pourquoi ? Mettez sur papier tous les détails qui vous viennent à l'esprit. Ensuite, relisez votre description et tirez-en des conclusions. Plus tard, essayez de repérer des situations semblables dans votre vie de tous les jours et portez attention à vos réactions. Ne vous limitez pas aux situations de harcèlement ; prenez aussi en considération les tentatives de manipulation. Sachez les identifier dans le langage verbal et non verbal — dans les regards, l'expression de la voix, dans les gestes et les actions — et dans le type de relation entre les individus en cause. Prenez conscience de vos actions, de vos réflexes, de vos émotions, de vos croyances, de vos valeurs et de celles que vous percevez chez les autres. Analysez et évaluez. Ensuite, essayez de changer les comportements qui vous appartiennent et qui vous sont nocifs, et recommencez le cycle. Voici un exemple des bienfaits de ce processus :

> Regarder mon expérience de façon plus poussée m'a fait constater combien j'avais de la difficulté à prendre la place qui me revient dans un groupe et à croire en mes compétences. J'ai grandi avec une mère extrêmement exigeante

et autoritaire. Je suis devenu un adulte qui croit profondément que mes compétences professionnelles doivent être perpétuellement améliorées. Ma croyance manquait de nuances. En raison de l'autorité de ma mère, je n'avais pas appris à confronter les exigences ou les critiques d'une autre personne. Mais dorénavant, je n'étais plus sous l'emprise de ma mère. Devenu adulte, c'était à moi de changer cela. Me confronter à moi-même, regarder ce que j'avais à changer à l'intérieur m'a fait réaliser que j'avais à prendre position. Sans changer ma croyance en l'importance de se surpasser, j'ai compris que je pouvais tout de même discerner là où j'avais des améliorations à faire et là où je n'en avais pas. Conséquemment, je suis maintenant mieux armé pour défendre ma place, ma pensée et mes compétences. C'est à moi de décider quels changements j'ai à apporter sur le plan de mes compétences et c'est à moi de voir quand et comment je pourrais effectuer ces améliorations. Si quelqu'un me dit que mon rapport n'est pas à son goût, qu'il est mal fait, je n'accepte plus automatiquement cette critique comme une vérité. Je la questionne. Je vérifie. Je décide par moi-même si effectivement le rapport est à changer ou pas. Après tout, l'autre aussi peut être dans le tort ! J'ai acquis ce pouvoir de discernement envers le jugement d'un autre.

Faire face à la douleur m'a appris que je laissais le pouvoir entre les mains de mon harceleur. J'étais un éternel perfectionniste, cherchant à plaire aux autres avant même d'essayer de me plaire à moi-même. Mon harceleur abusait de ce pouvoir que je lui avais moi-même donné.

Maintenant, je vois les choses très différemment. Je filtre mieux les commentaires des autres. Je comprends que la vie m'a apporté cette situation pour que je puisse me dépasser, pour que je franchisse une autre marche dans mon développement personnel. Je suis toujours un perfectionniste, mais je le suis pour moi-même, pas pour quelqu'un d'autre.

Passez à l'action, mais prenez le temps qu'il faut. Cela ne se fait pas en un jour. En répétant, en transférant vos apprentissages dans d'autres situations de vie et en pratiquant, vous arriverez à jongler avec les divers éléments entrant en jeu dans ce type de relation. Peu à peu, vous changerez vos comportements devant les événements du même type. Chaque analyse, chaque évaluation, sera un pas vers l'avant. Vous vous verrez progresser, jusqu'au jour où vous aurez maîtrisé tous les éléments nécessaires pour déjouer les relations malsaines. Vous aurez appris.

Vous serez surtout très alerte face aux cas de harcèlement psychologique au travail. Vous pourrez les déceler rapidement. Vous poserez facilement un diagnostic. Vos antennes seront plus sensibles. Vous serez moins susceptible de vous retrouver de nouveau dans des relations où l'intimidation et la manipulation ont cours. Cela ne veut pas dire que vous serez assuré de ne jamais revivre ce type de situation ; seulement, vous serez plus à l'affût et vous serez aussi mieux outillé pour y faire face.

Réapprendre

Il ne suffit pas d'apprendre à se protéger. Vous devrez aussi réapprendre à vous aimer et à faire confiance aux autres en milieu de travail. Votre confiance en les autres a été touchée, que vous vouliez l'admettre ou pas. Il est fort probable que vous fassiez dorénavant plus attention dans vos relations de travail. Il est possible que votre prudence soit justifiée ; en effet, on ne peut avoir une confiance aveugle envers tout un chacun. Par contre, il ne faudrait pas que votre méfiance prenne des proportions démesurées ou que vous voyiez en chaque travailleur un harceleur potentiel. Comme dans toute chose, il existe un juste milieu. L'exercice consiste à mesurer en quoi et à quel point votre confiance en les relations professionnelles a été affectée et voir à réajuster vos perceptions. Vous devrez faire la paix avec vous-même et avec les autres.

Faire la paix avec soi-même
D'abord, s'aimer soi-même

Quel que soit le niveau de harcèlement que vous subissez ou avez subi, votre estime de soi a été touchée. Vous aurez besoin de beaucoup d'amour, de force, de courage et de soutien pour que votre être ne soit pas trop ébranlé. Il est fort probable que vous soyez plus fragile sur le plan émotionnel, pour un certain temps du moins. Essayez donc de vous dorloter, de vous aimer, pendant et après cette épreuve. Soyez bon avec vous-même. Traitez-vous avec dignité et respect, et les autres seront plus enclins à vous considérer avec autant d'égards. Offrez-vous un peu de solitude. Vous isoler du monde dans les temps difficiles est un des moyens d'assurer votre guérison. Cependant, n'abusez pas dans ce sens. Vous n'avez pas à vous cacher ; accordez-vous seulement une juste portion de solitude, afin de gagner paix et sérénité. Prenez, par exemple, un long bain, débranchez le téléphone ou retirez-vous dans un coin tranquille. Prenez le temps de faire le silence autour de vous.

Chouchoutez votre corps, votre esprit et votre âme. Refaites-vous une beauté, changez de coiffure, achetez de nouveaux vêtements, faites-vous donner un pédicure ou une manucure, etc. Accordez-vous ces soins que vous aimez et qui accroissent votre amour-propre. L'exercice est, encore une fois, à conseiller, pour relâcher le stress. Utilisez le yoga, le taï chi, la méditation, et toutes les autres formes de disciplines aptes à vous recentrer dans le « ici et maintenant ». Adonnez-vous à un hobby ou à un divertissement que vous aimez. Exercez l'activité que vous avez toujours voulu faire, mais que vous repoussiez toujours à plus tard. Soyez indulgent envers votre esprit. Lisez les livres que vous affectionnez. Donnez-vous une journée entière à flâner pour lire un ouvrage qui vous passionne. Allez voir une pièce de théâtre, un spectacle, un film, un événement sportif, quoi que ce soit qui vous passionne.

N'oubliez pas de vous complimenter. Par exemple, lorsque vous réussissez à dire « non » pour la première fois, reconnaissez votre victoire. Célébrez vos accomplissements ! Que vous soyez encore dans la vague du harcèlement ou que vous veniez juste d'en sortir, pensez à votre être entier avec douceur et amour. Vous le méritez !

Ensuite, faites la paix avec vous-même

Eh oui, peut-être avez-vous été naïf? Peut-être avez-vous laissé cette personne manquer de respect envers vous trop longtemps? Peut-être avez-vous été trop soumis? Peut-être que vous avez quitté votre emploi sans porter plainte et que maintenant, en y repensant, vous feriez autrement! Vous savez, les « peut-être que… », ou les « j'aurais dû », ne servent pas à grand-chose. N'oubliez pas que le harcèlement psychologique est difficile à reconnaître de par sa nature. Si vous regardez objectivement les faits, ainsi que tous les facteurs entourant votre situation, je suis certaine que vous pourrez voir qu'il n'y avait rien de simple ni de facile. Vous avez agi selon les ressources intérieures et extérieures que vous aviez à l'époque. L'important est maintenant de vous aimer, d'apprendre, de vous guérir et d'avancer.

Accorder le pardon

Une autre mesure compensatoire est le pardon. Bien qu'il soit d'essence religieuse, sinon spirituelle, le pardon est non moins nécessaire. Oubliez l'aspect religieux et faites-le pour vous. Le pardon est gage de paix, puisqu'il nous débarrasse des passions colériques ou du désir de vengeance qui nous grugent. Mais pardonner ne signifie pas oublier. En pardonnant, vous n'avez pas à vous sentir obligé de ne plus jamais avoir de pincements au cœur en repensant au mal que l'on vous a fait. Par contre, pardonner vous permet de relâcher les sentiments négatifs de haine, de colère et de vengeance. Cela vous permet de ne plus vous maltraiter, car tous ces sentiments négatifs ont inévitablement un effet destructeur sur votre esprit et votre corps. Pardonner vous permet de vous délester d'un poids considérable, d'un fardeau que vous porterez tant qu'il ne sera pas lâché. Cependant, pardonner une telle violence n'est pas chose facile d'autant plus que le pardon complet exige de pardonner sans condition. Ce n'est pas une question d'un jour ou deux. Allez-y un pas à la fois. Accorder le pardon, c'est s'engager à faire en sorte que renaisse la vie en ce qu'elle a de plus beau. C'est se donner comme projet de lutter contre la violence. Mais ne vous leurrez pas. Malgré toute la colère que vous avez envers votre agresseur, le plus dur, finalement, c'est de se pardonner à soi-même. Alors si vous avez un quelconque sentiment de culpabilité face à ce qui vous est arrivé, aussi minime soit-il, travaillez d'abord à le reconnaître et, ensuite, procédez à votre propre pardon. Le fait de penser que votre agresseur vit peut-être maintenant avec un problème de conscience pourrait vous soulager. «Mais il ne s'en morfond même pas!» me direz-vous. «Alors que moi, de mon côté, j'ai dépensé tellement d'argent et j'ai tellement perdu!» Il est possible que votre agresseur ignore ses fautes, mais je ne crois pas que la majorité des êtres humains soient inconscients de leurs torts. Ils font beaucoup pour ne pas en entendre parler, mais ils les connaissent. Des «miroirs» se présentent continuellement dans leur vie. Tous les efforts qu'ils font pour ne pas regarder ces miroirs, pour détourner le regard de ce qu'ils ont à voir, pour éviter de s'admettre leurs torts, sont la cause même de leur malheur. Imaginez les énergies qu'ils dépensent en ce sens! On ne peut se cacher de ce que l'on est. L'homme est un être social. Nos relations nous rappellent continuellement qui nous sommes. Alors imaginez, l'individu qui harcèle se verra montrer ses défauts; les autres se chargent de leur en parler ou de leur démontrer qu'ils existent, d'une façon ou d'une autre, d'une expérience de vie à l'autre. Seule la vérité nous délivre. Alors, si cela vous aide à pardonner ou du moins à cheminer sur la route du pardon, sachez que votre agresseur ne peut pas être complètement heureux ou se sentir véritablement vainqueur de vous avoir causé du tort. Dans le fond, tant que vous ne recevrez pas de sincères excuses, cette personne vivra avec un boulet, alors que vous, vous pouvez avoir les pieds légers. L'agresseur fait bien des entourloupettes afin de ne pas sentir ce fardeau qu'il transporte et les apparences peuvent nous porter à croire qu'il ne le sent pas, mais je crois profondément que ce poids ralentit sa cadence ou lui crée des ennuis.

Si vous sentez le besoin de vous familiariser davantage avec la notion du pardon, vous pouvez lire un livre sur le sujet. L'important est de vous donner comme objectif de rejeter le désir de vengeance qui est source de destruction envers vous-mêmes.

Boucler la boucle

Après avoir appris, fait la paix avec vous-même, lâché prise, accordé le pardon, etc., il faut rompre. Même si vous vous efforcez de lâcher prise, il est fort probable qu'un lien existe encore avec votre vécu de harcèlement. Vous vous le remémorez de temps à autre. Vous l'avez lâché, mais vous ne voulez pas le perdre de vue. Ou vous le gardez près de vous pour le reprendre au besoin. Le simple fait d'avoir surmonté le problème de harcèlement ne veut pas dire que vous vous sentez maintenant en paix, résolu, content ou simplement bien. Il vous reste probablement plusieurs sentiments de colère, de frustration, d'irritation, de désir de vengeance. Il ne suffit pas de laisser aller ces sentiments, il faut aussi couper la corde et laisser dissoudre tout lien possible afin d'empêcher toute reprise.

Pour cela, il faut rompre définitivement le lien que vous avez avec le harceleur, même si ce lien n'est qu'en pensée. Si vous en sentez le besoin, communiquez avec lui par lettre, en personne, par le biais d'un tiers, par téléphone ou par tout autre moyen et dites ce que vous avez à dire afin de pouvoir enfin ranger cette histoire dans le placard. Vous pouvez aussi écrire cette lettre sans jamais la lui poster, simplement pour vous soulager, pour sortir ce que vous avez sur le cœur. Ou encore, usez d'imagination pour boucler votre boucle. Les métaphores et la puissance de l'esprit sont ici utiles. Visualiser la rupture peut être suffisant. Ces actions porteront leurs fruits dans votre esprit et sur le plan des énergies qui y sont reliées.

Le futur

Réussissez quelque part! La réussite encourage la guérison! Si ce n'est une douce vengeance... Mais faites attention si vous utilisez le succès dans un but quelconque de vengeance, vous pourriez en devenir esclave.

Donnez-vous une mission! Utilisez votre expérience. Que ce soit en la partageant avec les gens autour de vous ou avec votre syndicat lorsque le propos est sur la table, faites quelque chose de votre expérience pour que le harcèlement psychologique au travail cesse. Créez un groupe d'entraide. Parlez de votre expérience sans ressentiments, dans un but purement positif.

Si ces solutions ne vous intéressent guère, tentez, du moins, de donner un minimum de sens à votre expérience. Malgré les apparences, vous pouvez en faire ressortir des points positifs. Une fois votre estime de soi rebâtie, vous pouvez devenir plus fort. Vous ressortirez de l'expérience enrichi, car vous saurez reconnaître les gens malsains. Vous aurez peut-être aussi appris de nouvelles techniques. Vous pouvez vous morfondre *ad vitam æternam* en vous répétant que vous vous seriez passé d'une telle expérience. Soit, on ne refait pas le passé, mais on peut en tirer des leçons et s'enrichir! Vous avez désormais des choix. Vous n'avez plus à vous laisser détruire par des gens qui harcèlent. Ce qui vous a détruit une fois vous rend aujourd'hui plus fort. Vous êtes maintenant capable d'affronter ces gens. Votre force intérieure vous aidera à prendre des risques et votre vie sera plus riche et excitante. Il y aura toujours des gens malveillants dans le monde du travail, mais vous saurez maintenant vous prémunir contre leur influence nocive.

L'objectivité des employeurs et des relations professionnelles

Le futur ne sera pas toujours facile. Vous aurez parfois peur que vos prochains employeurs n'apprennent que vous avez déjà eu une problématique de travail et qu'ils vous présument coupable. Si vous vous retrouvez en recherche d'emploi, vous vous demanderez inévitablement comment cacher cet épisode. Si on vous demande des références et que vous n'avez pas prévu le coup avant de partir, vous aurez peut-être peur de ce que votre ex-employeur pourrait raconter sur vous. Même en prenant des précautions à cet effet, vous savez que vous n'entendrez pas ce qui se dit et vous aurez toujours une incertitude quant à ce qui est véhiculé par votre harceleur, surtout si celui-ci était votre patron. De plus, certaines professions sont regroupées dans de petits cercles très fermés, ce qui facilite la propagation de rumeurs et de mensonges. Tout compte fait, il est très légitime que vous ayez peur que l'on découvre quelque chose qui ne vous rendrait pas justice.

Mais montrez plus de confiance envers les employeurs. Si votre comportement est irréprochable, cela se verra et ils sauront faire la distinction. Même chose pour vos collègues. S'ils sont eux-mêmes intègres, ils seront capables de reconnaître votre valeur et de faire preuve d'esprit critique face à ce qu'ils entendent. S'ils se sont fait rouler et ont cru la version de votre agresseur, peut-être pourront-ils le reconnaître avec le recul. Sachez leur pardonner et comprendre qu'ils ont droit à l'erreur. Croyez-moi, certains feront des bourdes. Ils se feront manipuler par votre harceleur et peuvent aller jusqu'à signer des papiers incriminants. Ils ne connaissent pas le contexte dans son entier et font l'erreur d'entrer dans une dispute qui ne les concerne pas. Nous avons tous à apprendre dans la vie et permettez-leur de faire leur propre apprentissage. D'ailleurs, l'une des choses qui touchent le cœur lorsque l'on est victime de harcèlement est bien de voir les gens s'excuser de leurs erreurs ou, mieux, de voir ceux qui vous soutiendront et croiront en vous, malgré les apparences trompeuses. C'est bien là la preuve de votre valeur humaine. Plus votre harceleur est fin manipulateur, plus les apparences peuvent vous défavoriser. Mais quel réconfort lorsque des collègues continuent à croire en votre valeur professionnelle !

Le fait que vous ayez été harcelé ne vous enlève pas vos connaissances et votre expérience professionnelle. Si vous avez toujours été intègre et avez fait part ouvertement de votre expérience à d'autres, on saura le reconnaître. Votre éthique professionnelle vous accompagne. En milieu de travail, c'est quelque chose que l'on porte comme les vêtements que l'on revêt. À l'extérieur de votre milieu de travail immédiat — dans une association professionnelle, par exemple —, il est possible que vous vous soyez bâti une solide réputation et que les membres intègres et professionnels sauront discerner les faits des rumeurs. Demeurez toujours sans reproches et cela finira par jouer en votre faveur. Dites-vous bien que votre assaillant ne pourra avoir cette assurance.

Par contre, sachez qu'il est difficile de se défaire du sentiment de honte et de culpabilité. Le harcèlement psychologique au travail est un sujet tabou et peu de gens avouent en avoir été victimes. Les gens ne s'ouvrent souvent qu'à d'autres victimes. La population en général a tendance à penser que si une telle chose nous est arrivée, c'est que l'on doit « avoir fait quelque chose de pas correct ». Pourtant, les gens compatissent avec les victimes de viol ou de harcèlement sexuel, et ne les blâment pas de ce qu'ils ont subi ! Pourquoi ne peut-il pas en être de même du harcèlement psychologique au travail ?

Ainsi, il est possible que ces sentiments de culpabilité restent en vous longtemps. Même plus tard, dans ces moments où vous aurez à parler de votre mésaventure, il est fort possible que ces démons refassent surface. Vous aurez à les repousser, à vous parler intérieurement et à vous dire que c'est faux ; vous n'êtes pas coupable et vous n'avez pas à avoir honte.

Les vrais amis

Une chose est certaine, vous apprendrez qui sont vos vrais amis. Dans les moments difficiles, certains camarades s'effacent mystérieusement… Vos amis sincères vous croiront et vous soutiendront sans rien attendre en retour. Leur présence et leur appui seront réconfortants. Ils connaissent votre valeur et vous la rappelleront. C'est bien là un des côtés positifs de l'épreuve : sur le plan des amitiés, le ménage se fait. Celles qui demeurent sont solides. Celles qui s'effritent n'en valaient probablement pas la peine ou elles ont fait leur temps. N'en concluez pas que ces relations n'étaient pas vraies. Peut-être étaient-elles vraies mais éphémères, pour diverses raisons. La solidité d'une amitié dépend de plusieurs facteurs.

Dans votre milieu de travail, vous découvrirez aussi qui sont les collègues professionnels, intègres et faisant preuve de maturité. Ceux qui ne croient pas aveuglément tout ce qu'ils entendent. Ceux qui ne participent pas aux commérages et autres comportements déplacés. Même si plusieurs d'entre eux ne savent pas quoi faire, du moins, ils n'y prennent pas plaisir. Certains feront preuve d'empathie, sans cependant vouloir intervenir. D'un autre côté, vous verrez qui sont les opportunistes, ceux qui désirent votre perte. Ils voudront vous voir disparaître afin de prendre votre position ou de gagner quelque autre avantage. Bref, vous découvrirez les vraies personnalités de vos collègues.

Les nouveaux amis

D'autres amitiés naîtront. Vous vous rapprocherez de certaines personnes, qui n'étaient auparavant que des connaissances ou des collègues de travail. C'est dans les situations extrêmes que certaines personnes se dévoilent ou que de nouvelles liaisons se forment. Certaines peuvent être inattendues. Elles seront d'autant plus solides qu'elles ont été bâties dans une situation difficile. D'une part, vous pourriez vous lier d'amitié avec des personnes ayant vécu la même chose que vous. Il n'est pas rare, par exemple, de voir des amitiés se former dans les groupes d'entraide. D'autre part, les obstacles que vous rencontrez pourraient faire ressortir votre force, votre courage et plusieurs autres de vos qualités ; ainsi, certains découvriront votre valeur et voudront se rapprocher de vous.

Ressources

Les normes du travail:

Organismes gouvernementaux:
- Commission des normes du travail du Québec:
    Région de Montréal: (514) 873-7061
    Ailleurs au Québec: sans frais: 1 800 265-1414
    Internet: http://www.cnt.gouv.qc.ca
    Commissaire général du travail

Organismes populaires:
- Au bas de l'échelle
    6839A, rue Drolet, bureau 305
    Montréal, Québec, H2S 2 T1

- Groupe d'aide et d'information sur le harcèlement sexuel au travail de la province de Québec Inc.,
    2231, rue Bélanger,
    Montréal, Québec, H2G 1C5
    Tél.: (514) 526-0789
    Courriel: info@faihst.qc.ca
    Site Web: www.gaihst.qc.ca

- FATA: Fonds d'aide aux travailleurs accidentés

- FATA Montréal:
    6839A, rue Drolet, Montréal, Québec, H2S 2T1
    Tél.: (514) 271-0901
    Télécopieur: (514) 271-6078

- FATA Québec:
    7, rue Saint-Vallier Est, 3e étage
    Québec, Québec, G1K 3N6
    Tél.: (418) 641-0097
    Télécopieur: (418) 647-6498

Les droits et libertés de la personne

Organismes gouvernementaux
- La Commission des droits de la personne du Québec
- La Commission canadienne des droits de la personne :
- Ministère de la Justice du Canada :
    284, Wellington Street, Ottawa
    Ontario Canada K1A 0H8
    Tél. : (613) 957-4222
- Commission ontarienne des droits de la personne : ligne sans frais (1 800 387-9080) et www.ohrc.on.ca
- Commissariat à la protection de la vie privée du Canada
- Commission d'accès à l'information

Palais de justice
- Palais de justice de Montréal
- Palais de justice de Québec
- Palais de justice des autres grandes villes du Canada

Recherche d'avocats
- Barreau des grandes villes du Canada

Recherche de psychologues ou de thérapeutes
- Association canadienne des psychologues
- Association québécoise des psychologues
- Association canadienne des psychiatres
- Association québécoise des psychiatres

Organismes populaires
- Action-travail des femmes
- Groupe d'aide et d'information sur le harcèlement sexuel au travail
- Ligue des droits et libertés du Québec

Ressources médicales

- Corporation professionnelle des médecins

- Santé Canada : santé au travail ou santé de l'adulte
http://www.hc_sc.gc.ca/hppb/ahi/workplace/index.html ou :
http://www.hc_sc.gc.ca/hppb/ahi/index.html

- Santé et sécurité au travail et accidents du travail

- Commission de la santé et de la sécurité au travail du Québec :
Région de Montréal
1, Complexe Desjardins Tour du Sud,
34ᵉ étage C.P. 3, succursale place Desjardins
Montréal, Québec, H5B 1H1
Renseignements généraux : (514) 906-3000
Service du financement : (514) 906-3111
Service aux accidentés : (514) 906-3000
Urgences — Inspection 24h/24 : (514) 906-2911
Télécopieur : (514) 906-3131

Région de Québec
730, boulevard Charest Est C.P. 4900,
succursale Terminus Québec, Québec, G1K 7S6
Renseignements généraux : (418) 266-4000
Sans frais : 1 800 668-6811
Service du financement : (418) 266-4020
Sans frais : 1 800 267-6811
Service aux accidentés : (418) 266-4000
Sans frais : 1 800 668-6811
Urgences — Inspection 24h/24 : (418) 266-4911
Télécopieur : (418) 266-4015

*Le site Internet donne aussi l'adresse de chaque bureau dans les
différentes régions du Québec.*

- Commission de la sécurité professionnelle et de l'assurance
contre les accidents du travail de l'Ontario CSPAAT
Tél. sans frais : 1 800 387-5540
Sans frais en Ontario : 1 800 387-0750
Appareil de télécommunications pour sourds :
1 800 387-0050

Site Web : www.wsib.on.ca
Bureau central 200, rue Front Ouest, Toronto, Ontario
M5V 3J1

- Union des travailleurs et des travailleuses accidentés de
Montréal (UTTAM)
- Centre d'aide aux travailleurs et aux travailleuses accidentés
de Montréal (CATTAM)
- Fondation pour l'aide aux travailleurs et aux travailleuses
accidentés (FATA)
- Alliance canadienne des victimes d'accidents et de maladies
du travail :
Tél. : (807) 345-3429
Sans frais : 1 877 787-7010
Télécopieur : 1 (807) 344-8683

Ressources sur le Web

Au Canada

- Site d'information et de liens Internet sur le *bullying* :
http://www.successunlimited.co.uk/bully/canada.htm
- Site d'information sur la Charte canadienne des droits et
libertés : http://laws.justice.gc.ca
- Site du Centre canadien d'hygiène et de sécurité au travail
(CCHST) : http://www.ccohs.ca
- Alliance canadienne des victimes d'accidents et de maladies
du travail : http://www.ciwa.ca

En France

- Association contre le harcèlement professionnel : ACHP :
http://www.ifrance.com/achp/
- un site français sur le harcèlement moral au travail :
http://www.isuisse.ifrance.com

Ailleurs dans le monde

- Un site américain sur le *bullying* :
www.bullybusters.orgwww.bullybusters.org

- The Campaign Against Workplace Bullying: PO Box 29915 Bellingham, Washington 98228 USA:
Tél.: 360-733-6630

- Un site anglo-saxon sur le *bullying*. Il donne des liens avec plusieurs autres pays.
http://www.successunlimited.co.uk/

Il existe de nombreux sites sur le harcèlement moral, ou mobbing.
Voici les principaux:

- Le site (en anglais) de Heinz Leymann, qui a conceptualisé ce phénomène (Suède): http://www.Leymann.se

- Le site (en anglais) de la Ligne de Conseils sur le *bullying* sur le lieu de travail (Royaume-Uni):
http://www.successunlimited.co.uk

- Le site (en anglais) de Stress UK (Royaume-Uni):
«Workplace Bullying» (étude sur le harcèlement moral):
http://www.stress.org.uk/bullying.htm

- Le site (en anglais) de la Campagne contre le *bullying* sur le lieu de travail (États-Unis): http://www.bullybusters.org

- Le site (en anglais) de Joe (Royaume-Uni):
«Adult Bullying» a problem of relational violence:
http://www.provcomm.net/pages/joe/adult_bullying.htm

- Le site de la commune de Lausanne (Suisse):
http://www.lausanne.ch/lsinfo/admin/ag/egalite/pages/menu.htm

- Le site de la SSGP Genève (Suisse):
«Le *mobbing*, comprendre & prévenir»:
http://www.ssgp-geneve.ch/vf/textes/resumes/ref03a.htm

- Le site du Centre Hospitalier Rouffach:
«Semaine d'information sur la santé mentale»:
http://www.ch-rouffach.fr/Actualites/SSM99Mobbing.html

- Le site d'Expression Médicale (sommaire):
http://www.exmed.org/exmed/har.html

- Le site d'Expression Médicale :
« Harcèlement moral, conseils pratiques aux victimes » :
http://www.exmed.org/exmed/har1.html
- Le site Stethonet :
« Harcèlement moral et arrêts de travail »,
par le Dr Jean-Paul Gervaisot :
http://www.netinfo.fr/intermedic/stethonet/trib/harceleme
nt2.htm
- Le site Alternative Santé :
« Le harcèlement moral »
(interview de Marie-France Hirigoyen) :
http://www.medecines-
douces.com/impatient/26oct99/interv.htm
- Le site de Processus/P.A.E. (Canada) :
« Conseils pour régler un problème au travail » :
http://bcandide.tripod.com/trucstravail.html
- Le site de Processus/P.A.E. (Canada) :
« Harcèlement moral ou psychologique au travail » :
http://bcandide.tripod.com/travailharcelement.html
- Le site de l'association Mots pour Maux au Travail :
http://www.multimania.com/xaumtom
- Le site de l'Association Contre le Harcèlement Professionnel :
http://www.ifrance.com/achp
- Le site de Harcèlement Moral Stop : http://www.chez.com/hms
- Le site de Harcèlement Association de Réflexion et de Soutien :
http://perso.wanadoo.fr/hars
- Le site de l'Association de victimes et de familles de victimes
contre la violence morale dans la vie privée (AJC) :
http://ajc.ifrance.com
- Le site de l'Association Violence Hors Silence (Suisse) :
http://www.graap.ch/violenceHors.html
- Le site de l'Association Au Bas de l'Échelle (Canada) :
http://www.cam.org/~abe

- Le site de l'Association Beyond Bullying Association Inc. (Australie) : http://www.davdig.com/bba/

- Le site du CRSNG (Canada) :
  « Politique du CRSNG sur les conflits et le harcèlement » :
  http://www.crsng.ca/pubs/harcel.htm

- Le site du Groupe d'aide et d'information sur le harcèlement sexuel au travail de la province de Québec Inc. :
  www.gaihst.qc.ca

- Le site du Service correctionnel Canada : « Le harcèlement et toute autre forme de discrimination en milieu de travail » :
  http://www.csc-scc.gc.ca/text/plcy/cdshtm/255-cdf.shtml

- Le site du Cabinet de Conseil Emond-Harnden (Canada) :
  « Le harcèlement en milieu de travail : terrain semé d'embûches juridiques pour les employeurs » :
  http://www.emond-harnden.com/apr98/harassfr.html

- Le site du Regroupement des organismes contre le harcèlement et les abus dans le sport (Canada) :
  http://www.harassmentinsport.com/French/findex.html

- Le site de la Confédération des Syndicats Nationaux (Québec) :
  « Du respect de la dignité humaine au quotidien » :
  http://www.csn.qc.ca/Pageshtml11/Violence434.html

- Le site du Syndicat canadien des communications, de l'énergie et du papier (CEP) : « Le Harcèlement ? Faut le déraciner ! » :
  http://www.cep.ca/fr/politiq/harfopen.htm

- Le site du SNPMT (syndicat français de médecins du travail) :
  « À propos du harcèlement psychologique au travail » :
  http://pro.wanadoo.fr/snpmt/harpsy.htm

- Le site de l'Intersyndicale du LPC du Collèège de France :
  http://perso.wanadoo.fr/intsynd-lpc

- Le site d'Alain Noury :
  http://members.xoom.fr/noury

- Le site d'OffT@Girls :
  « Quand le bureau devient un enfer » :

http://www.offtopix.com/OffTGirls/Edito/Mobbing/mobbing.htm

- Le site de Super Secrétaire :
  «Le harcèlement moral envahit notre quotidien!» :
  http://www.super-secretaire.com/documents_doc/Doc0318.htm
- Le site d'Allaitinfos : «Harcèlement moral et allaitement» :
  http://www.chez.com/allaitinfos/harcelement/harcelement.html
- Travail violence et environnement (avis du Conseil économique & social du 24/11/99) :
  http://www.conseil-economique-et-social.fr/rapporti/texte.asp?
  Repertoire = 99112420 & ref = 1999-20
- Le texte de la question au gouvernement français sur ce sujet du député communiste Georges HAGE :
  http://www.groupe-communiste.assemblee-nationale.fr/questions/QA990630.htm
- Le texte de la proposition de loi contre le harcèlement moral du groupe communiste de l'Assemblée Nationale :
  http://www.assemblee-nationale.fr/2/propositions/pion2053.htm
- Colloque tenu au 67e Congrès de l'ACFAS (Canada) :
  «Violences au travail» (sommaire) :
  http://www.acfas.ca/congres/congres67/Coll419.htm
- Colloque tenu au 67e Congrès de l'ACFAS : «À la recherche de la violence au travail» :
  http://www.acfas.ca/congres/congres67/C1851.HTM
- Colloque tenu au 67e Congrès de l'ACFAS :
  «Le harcèlement psychologique au travail : quand le travail nous pogne en dedans» :
  http://www.acfas.ca/congres/congres67/C1844.HTM
- Colloque tenu au 67e Congrès de l'ACFAS :
  «La violence hiérarchique : conceptualisation et modélisation» :
  http://www.acfas.ca/congres/congres67/C1853.HTM
- Colloque tenu au 67e Congrès de l'ACFAS :
  «Vers une approche globale de la violence organisationnelle» :
  http://www.acfas.ca/congres/congres67/C1852.HTM

- Article extrait du *Nouvel Observateur* du 21 janvier 1999 :
  « Ces collègues et patrons qui vous rendent fous » :
  http://www.nouvel-observateur.com/archives/nouvelobs_
  1785/art1.html

- Article extrait du *Nouvel Observateur* du 21 janvier 1999 :
  « Paroles de harcelés » : http://www.nouvel-observateur.com/
  archives/nouvelobs_1785/art2.html

- Article extrait du *Nouvel Observateur* du 21 janvier 1999 :
  « Ne pas faire le dos rond » : http://www.nouvelobservateur.com/
  archives/nouvelobs_1785/art3.html

- Article extrait de l'*Humanité* du 24 mars 1999 :
  « Harcèlement dans l'entreprise, une fable sociale sur France 2 » :
  http://www.humanite.presse.fr/journal/1999/1999-
  03/1999-03-24/1999-03-24-060.html

- Extrait du livre de Marie-France Hirigoyen, sélectionné par
  le magazine *Lire* d'avril 1999 : http://www.lire-presse.fr/
  Document/274_000284J.asp).

- Critique du livre de Marie-France Hirigoyen, par le magazine
  Lire d'avril 1999 :
  http://www.lire-presse.fr/Document/274_000285J.asp).

- Article extrait de *Libération* du 13 septembre 1999 :
  « Harcèlement moral, le grand déballage » :
  http://www.liberation.com/travail/thema/spec990913/art1.html

- Article extrait de *Libération* du 13 septembre 1999 :
  « À l'écoute des meurtris » :
  http://www.liberation.com/travail/thema/spec990913/art2.html

- Article extrait de *Libération* du 13 septembre 1999 :
  « Les victimes s'associent contre leurs bourreaux » :
  http://www.liberation.com/travail/thema/spec990913/art3.
  html

- Article extrait de *Libération* du 13 septembre 1999 :
  « Le piège du vampire » :
  http://www.liberation.com/travail/thema/spec990913/art4.
  html

- Article extrait de *Libération* du 13 septembre 1999 :
« Mode de management » :
http://www.liberation.com/travail/thema/spec990913/art5.html
- Article extrait de *Libération* du 13 septembre 1999 :
« À voir, à lire… » :
http://www.liberation.com/travail/thema/spec990913/art6.html
- Article extrait de *Libération* du 13 septembre 1999 :
« La Suède, pionnier européen » :
http://www.liberation.com/travail/thema/spec990913/art7.html
- Article extrait de *Libération* du 13 septembre 1999 :
« Le modèle suisse » :
http://www.liberation.com/travail/thema/spec990913/art8.html
- Article extrait de l'*Humanité* du 16 février 2000 :
« La proposition de loi du PCF » :
http://www.humanite.presse.fr/journal/2000/2000-02/
2000-02-16/2000-02-16-035.html
- Article extrait de l'*Humanité* du 16 février 2000 :
« Le calvaire d'un chercheur » :
http://www.humanite.presse.fr/journal/2000/2000-02/
2000-02-16/2000-02-16-037.html
- Article extrait de l'*Humanité* du 16 février 2000 :
« Scènes de harcèlement ordinaire » :
http://www.humanite.presse.fr/journal/2000/2000-02/
2000-02-16/2000-02-16-020.html
- Article extrait du *Nouvel Observateur* du 24 février 2000 :
« La riposte » : http://frigorix.sdv.fr/nouvelobs/archives/
voir_article.cfm ? id = 26408 & mot
- Article extrait du *Nouvel Observateur* du 24 février 2000 :
« Sylvie : une miraculée de la médecine » :
http://frigorix.sdv.fr/nouvelobs/archives/voir_article.cfm ? id =
26409 & mot

- Article extrait du *Nouvel Observateur* du 24 février 2000:
  «Patrick, Hélène, Philippe: dans le huis clos des mairies»:
  http://frigorix.sdv.fr/nouvelobs/archives/voir_article.cfm? id =
  26410 & mot

- Article extrait du *Nouvel Observateur* du 24 février 2000:
  «Marie-France: guerre dans un placard»:
  http://frigorix.sdv.fr/nouvelobs/archives/voir_article.cfm? id =
  26411 & mot

- Article extrait du *Nouvel Observateur* du 24 février 2000:
  «Natacha: le parcours d'obstacles»: http://frigorix.sdv.fr/
  nouvelobs/archives/voir_article.cfm? id = 26412 & mot

- Article extrait du *Nouvel Observateur* du 24 février 2000:
  «Françoise: la preuve par la porte interdite»:
  http://frigorix.sdv.fr/nouvelobs/archives/voir_article.cfm? id =
  26413 & mot

- Article extrait du *Nouvel Observateur* du 24 février 2000:
  «Quand le management tue»: http://frigorix.sdv.fr/nouvelobs/
  archives/voir_article.cfm? id = 26415 & mot

- Article extrait des archives de l'éditeur Edicom (Suisse):
  «Harcèlement, les mots qui tuent»:
  http://www.edicom.ch/femina/femmes/mots.html

- Archives de La Cinquième suite à l'émission
  «La Cinquième rencontre» du 18 juin 1999:
  «Le harcèlement moral»:
  http://www.lacinquieme.fr/rencontre/002489/148/

- Forum de discussion de La Cinquième suite à l'émission
  «La Cinquième rencontre» du 18 juin 1999:
  http://www.lacinquieme.fr/forum/rencontre/entree_theme.
  cfm? ind1 = 3 & ind2 = 77 & ind3 = 74

- Archives de M6 suite à l'émission «De quel droit» du 14
  décembre 1999: «Harcèlement moral: faut-il une loi?»:
  http://www.m6.fr/emissions/dequeldroit/dqd3/sujet1.htm

Bibliographie

AUROUSSEAU, Chantal, et Simone LANDRY, *Les professionnelles et professionnels aux prises avec la violence organisationnelle,* Montréal, Bibliothèque nationale du Québec, 1996.

BALLICO, Christian, *Pour en finir avec le harcèlement psychologique,* Paris, Éditions d'Organisation, 2001.

BRAVERMAN, Mark, *Preventing Workplace Violence,* Thousand Oaks (Calif.), Sage Publications, 1999.

BRUNET, Luc, et André SAVOIE, *Le climat de travail,* Québec, Éditions Logiques, 1999.

CANTIN, Jean-Maurice, *L'abus d'autorité au travail : une forme de harcèlement,* Scarborough, Tomson Canada, 2000.

CARPENTIER-ROY, Marie-Claire, et Michel VÉZINA, *Le travail et ses malentendus,* Québec, Presses de l'Université Laval, 2000.

CARRIÈRE, Michèle, *Le pouvoir de la parole,* Montréal, Éditions Quebecor, 1996.

COMMISSION DES NORMES DU TRAVAIL DU QUÉBEC, *Guide de sensibilisation à l'intention des employeurs et des salariés,* Commission des normes du travail du Québec, 2004.

CORNEAU, Guy, *Victime des autres, bourreau de soi-même,* Montréal, Éditions de l'Homme, 2003.

CRÈVECOEUR, Jean-Jacques, *Relations et jeux de pouvoir,* Orp-le-Grand (Belgique), Le Troisième Iris Éditions, 1997.

DESMOND, Morris, *Le langage des gestes,* Londres, Éditions Marabout, 1994.

DRAPEAU, Maurice, *Le harcèlement sexuel au travail,* Cowansville, Éditions Yvon Blais, 1991.

DUMOUCHEL, Paul, *Violences, victimes et vengeances,* Québec et Paris, Presses de l'Université Laval et L'Harmattan s.d.

DURIEUX, Albert, et Stéphène JOURDAY, *L'entreprise barbare,* Paris, Albin Michel, 1999.

DU VERGER-VILLENEUVE, Jocelyne, et coll., *Vous et votre emploi,* LaSalle, Éditions Hurtubise HMH, 1992.

ENGEL, Frema, *Taming the Beast,* Westmount, Ashwell Publishing, 1998.

EVANS, Patricia, *L'agression verbale dans le couple,* Paris, Le Courrier du livre, 1996.

GBEZO, Bernard E., *Agressivité et violences au travail,* Issy-les-Moulineaux, ESF, 2001.

GLASS, Lillian, *Ces gens qui vous empoisonnent l'existence,* Montréal, Éditions de l'Homme, 2003.

GOUVERNEMENT DU CANADA, Charte canadienne des droits et libertés, sur Internet: <http://canada.justice.gc.ca/Loireg/charte/const_fr.html>.

Gouvernement du Québec, Charte des droits et libertés de la personne, sur Internet: <www.cdpdj.qc.ca/htmfr/htm/4_4.htm>.

Haineault, Pierre, *Se libérer des gens qui nous empoisonnent la vie,* Outremont, Éditions Quebecor, 1999.

Hirigoyen, Marie-France, *Le harcèlement moral,* Paris, La Découverte et Syros, 1998.

HIRIGOYEN, Marie-France, *Malaise dans le travail,* Paris, La Découverte et Syros, 2001.

JOULE, Robert-Vincent, et Jean-Léon BEAUVOIS, *Petit traité de manipulation à l'usage des honnêtes gens,* Grenoble, Presses universitaires de Grenoble, 1987.

LAFLAMME, Roch, *La vie dans les organisations,* Québec, Presses de l'Université du Québec, 1994.

LUTZ, Mark A., «Vers une théorie économique plus générale du travail», *Revue internationale des sciences sociales,* vol. 32, 1980.

MARTIN, Jean-Claude, *Le guide de la communication,* Paris, Marabout, 1999.

MESSINGER, Joseph, *Les gestes de la vie professionnelle,* Paris, Éditions Générales First, 1997.

MICHAUD, Yves, *La violence,* Paris, Presses universitaires de France, coll. « Que sais-je ? », 1998.

MOLCHO, Samy, *Le langage du corps, ces gestes qui nous révèlent,* Paris, Éditions Solar, 1995.

MOREAU, Nicole, *Violence ou harcèlement psychologique au travail ?,* Québec, ministère du Travail, Direction des études et des politiques, 1999.

NAZARE-AGA, Isabelle, *Les manipulateurs sont parmi nous,* Montréal, Éditions de l'Homme, 1997.

OUIMET, Hélène, avec la collaboration de Marie-Andrée MIQUELON, *Employés non syndiqués : le guide de vos droits et recours,* Montréal, Wilson et Lafleur, 1994.

PADRINI, F., *Le langage secret du corps,* Paris, Éditions De Vecchi S.A., 1995.

POIRIER, Claude, et Nicole GRAVEL, *Mieux comprendre sa vie de travail,* Montréal, Éditions de l'Homme, 1992.

RAVISY, Philippe, *Le harcèlement moral au travail,* Paris, Dalloz, 2000.

RHODES, Daniel, et Kathleen RHODES, *Le harcèlement psychologique,* Montréal, Le Jour, éditeur, 1999.

ROS, Jay, *Travailler avec des personnes difficiles,* Paris, Éditions Village mondial, 2001.

SALOMÉ, Jacques, et Christian POTIÉ, *Oser travailler heureux,* Paris, Éditions Albin Michel, 2000.

SAMSON, Alain, *Devrais-je démissionner ?,* Montréal, Éditions Transcontinental, 2001.

SAMSON, Alain, *Un collègue veut votre peau,* Montréal, Éditions Transcontinental, 2001.

SECRÉTARIAT DU CONSEIL DU TRÉSOR DU CANADA, *Publication des résultats du Sondage 2002 pour l'ensemble de la fonction publique auprès des fonctionnaires fédéraux,* sur Internet : http://www.tbs-sct.gc.ca/media/nr-cp/2002/1202_f.asp ? printable = True.

SOARES, Angelo, « Quand le travail devient indécent : le harcèlement psychologique au travail », *Performances,* n° 3, mars–avril 2002, p. 16-26.

SOMMIER, Isabelle, *Le terrorisme,* Paris, Flammarion, 2000.

THUAL, François, *Les conflits identitaires,* Paris, Ellipses, 1995.

TURCOTTE, Pierre R., *La qualité de vie au travail,* Montréal et Québec, Éditions Agence d'Arc et Télé-Université, 1988.

VASIL, Normande, *J'accuse la violence,* Québec, Éditions JCL, 1999.

Table des matières